WORKBOOK

¡Viva el Español!

Ava Belisle-Chatterjee

Linda West Tibensky

Abraham Martínez-Cruz

National Textbook Company
a division of NTC/CONTEMPORARY PUBLISHING GROUP

NTC

ISBN: 0-8442-0962-7

Published by National Textbook Company,
a division of NTC/Contemporary Publishing Group, Inc.,

CONTENTS

CONTENTS

Nombre _____

A. What does Julio have in his desk? Are his school supplies ready? Use the picture to complete the sentences.

1. Julio usa ___**el globo**___ en la clase de geografía.

2. Julio va a la pizarra con _____ .

3. Él usa _____ en la clase de matemáticas.

4. A Julio le gusta escribir con _____ .

5. Él estudia _____ en la clase de historia.

6. Julio escribe mucho en _____ .

Nombre _____

B. Your friends are very shy. Tell the principal about their classes. Answer the question according to the picture.

M   ¿Cuál es la clase favorita de Eva?

Su clase favorita es la clase de ciencias.

[Su favorita es la clase de ciencias.]

1. ¿Cuál es la clase favorita de Rodrigo?

_____

_____

2. ¿Cuál es la clase favorita de Marta?

_____

_____

3. ¿Cuál es la clase favorita de Paco?

_____

_____

4. ¿Cuál es la clase favorita de Luisa?

_____

_____

5. ¿Cuál es tu clase favorita?

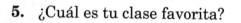

_____

Nombre _____

C. What are your classes like? On what days do you study different subjects? Write answers that are true for you.

M ¿Cómo es la clase de matemáticas? ¿Cuándo estudias las matemáticas?

La clase de matemáticas es interesante. Estudio las matemáticas los

lunes, los martes, los jueves y los viernes.

1. ¿Cómo es la clase de español? ¿Cuándo estudias el español?

_____

_____

2. ¿Cómo es la clase de inglés? ¿Cuándo estudias el inglés?

_____

_____

3. ¿Cómo es la clase de ciencias sociales? ¿Cuándo estudias las ciencias sociales?

_____

_____

4. ¿Cómo es la educación física? ¿Cuándo vas al gimnasio?

_____

_____

5. ¿Cómo es tu clase favorita? ¿Cuándo vas a tu clase favorita?

_____

_____

Nombre _____

D. You are the schoolteacher. What questions will you ask the students in the picture? Write two questions according to the picture. Some possible questions about Óscar have been done for you.

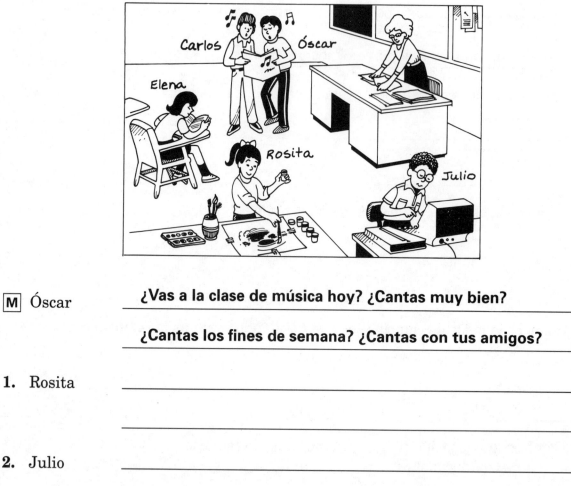

[M] Óscar	**¿Vas a la clase de música hoy? ¿Cantas muy bien?**
	¿Cantas los fines de semana? ¿Cantas con tus amigos?

1. Rosita _____

_____

2. Julio _____

_____

3. Carlos _____

_____

4. Elena _____

_____

Nombre _____

E. How observant are you? Look around your classroom and answer the questions as quickly and as accurately as you can.

M ¿Cuántas puertas hay en tu salón de clase?

Hay una puerta en mi salón de clase.

_____

1. ¿Cuántas alumnas hay en tu salón de clase?

_____

2. ¿Cuántos alumnos hay?

_____

3. ¿Hay una profesora o hay un profesor en tu salón de clase?

_____

4. ¿Cuántos pupitres hay en tu salón de clase?

_____

5. ¿Cuántas pizarras hay?

_____

6. ¿Hay una computadora en tu salón de clase?

_____

THiNK FAST! ∿∿∿∿∿∿∿∿∿∿∿∿∿∿

Catalina has just passed a secret note to her friend Anita. Decode the note and write the message below.

¡On em atsug raidutse sol sodabás!

_____

_____

Nombre _____

F. Rosario, the new student, has passed you a note in class. You decide to answer her during your study break. Complete the sentences in your own words.

¡Hola!

Me llamo _____.

Mi clase favorita es _____.

Es una clase _____.

¿Qué vas a hacer el sábado? Yo voy a _____.

También voy a _____ mi libro de español.

¿Escribes con un bolígrafo o con un lápiz? Yo siempre

_____.

Ahora voy a la clase de _____.

¡Hasta luego!

_____

Nombre _____

G. Sometimes you can tell what people like or dislike by looking at their clothing. What do your friends like or dislike? Answer the question according to the picture.

M ¿A Berta le gustan las matemáticas?

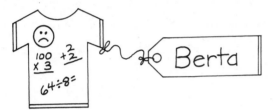

No, a Berta no le gustan las

matemáticas.

1. ¿A Héctor le gustan las computadoras?

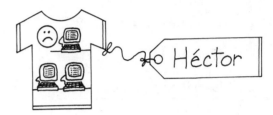

_____

_____

2. ¿A Diego le gustan los deportes?

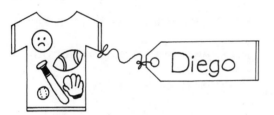

_____

_____

3. ¿A Susana le gustan las mariposas?

_____

_____

4. ¿A Mariela le gusta la música?

_____

_____

5. ¿A Raúl le gustan los gatos?

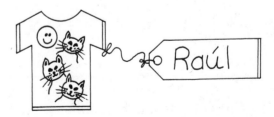

_____

_____

Nombre _____

H. Eduardo's tape recorder doesn't work well. He only managed to record the answers in an interview with his favorite singer. What were the questions? Underline the question that goes with the answer given.

M Sí, escribo muchas cartas.

   a. ¿Lees muchas cartas?

   b. ¿Escribo muchas cartas?

   c. ¿Escribes muchas cartas?

1. Voy al gimnasio los lunes.

   a. ¿Qué día va al cine?

   b. ¿Qué día vas al gimnasio?

   c. ¿Qué día voy al gimnasio?

2. Sí, leo muy bien en español.

   a. ¿Lees bien en español?

   b. ¿Lees bien en inglés?

   c. ¿Leo bien en español?

3. No, no aprendo a nadar.

   a. ¿Aprendes a caminar?

   b. ¿Aprendo a nadar?

   c. ¿Aprendes a nadar?

4. No, no voy al cine los domingos.

   a. ¿Vas a la escuela los domingos?

   b. ¿Voy al cine los domingos?

   c. ¿Vas al cine los domingos?

I. How would you answer questions in an interview? Write your answers on the lines provided.

1. ¿Cuál es tu clase favorita?

_____

2. ¿Cuándo vas a la escuela?

_____

3. ¿Escribes mucho en español?

_____

4. ¿Aprendes tus lecciones los sábados?

_____

Nombre _____

J. Sonia and Elena are writing a science-fiction story about another planet. You are curious about conditions on their imaginary planet. How do they answer your questions? Use the words in parentheses to answer the questions.

M ¿Qué tiempo hace en el verano?

(frío / nublado) **Hace frío y siempre está nublando.** _____

1. ¿Qué tiempo hace los fines de semana?

(calor / sol) _____

2. ¿Qué tiempo hace en el invierno?

(fresco / viento) _____

3. ¿Qué tiempo hace en el otoño?

(nublado / nevando) _____

4. ¿Qué tiempo hace en la primavera?

(frío / lloviendo) _____

K. If you could create another planet, what would the weather be like? Answer the questions on the lines provided.

1. ¿Qué tiempo hace en el otoño?

3. ¿Qué tiempo hace en el invierno?

_____   _____

2. ¿Qué tiempo hace en el verano?

4. ¿Qué tiempo hace en la primavera?

_____   _____

Nombre _____

L. If you could ask each person in the picture one question, what would you ask? Write each question according to the picture.

M (Ramón)	**¿Te gusta el invierno? ¿Patinas mucho en el invierno?**
1. (Arsenio)	_____
2. (Marina)	_____
3. (Juan)	_____
4. (Rosita)	_____
5. (Felipe)	_____
6. (Olga)	_____

Nombre _____

M. Elisa's brother David has had a dreadful day. How does he answer her questions? Write his answers on the blanks.

M	¿Tienes frío?

Sí, tengo mucho _____

frío. _____

1. ¿Tienes prisa?

_____

_____

2. ¿Tienes sueño?

_____

_____

3. ¿Tienes dolor?

_____

_____

4. ¿Tienes hambre?

_____

_____

5. ¿Tienes razón?

_____

_____

6. ¿Tienes miedo?

_____

_____

THINK FAST!

Answer the following questions. Then add up the numbers in your answers. Compare your answer with the answers of your classmates to see who has the largest number and who has the smallest number.

¿Cuántos años tienes? _____

¿Cuántos años tiene tu mamá o tu papá? _____

_____ + _____ = _____

Nombre _____

N. Bernardo has a very busy schedule this Saturday. He has written everything down. You are helping him memorize his schedule. How do you answer his questions?

	Este sábado
	8:00 ir al gimnasio
	8:15 practicar los deportes
○	10:00 ir a la biblioteca/leer un libro para la clase de inglés
	12:00 caminar a la casa
	12:45 aprender el vocabulario para la clase de español
	1:30 escribir una carta a mi amiga Lidia
	2:10 ir a la casa de Felipe
	2:20 ir al cine
	4:35 caminar a la casa

M ¿Adónde voy a las ocho?

Vas al gimnasio a las ocho en punto.

_____

M Voy al cine a las cinco menos veinticinco, ¿verdad?

No. Vas al cine a las dos y veinte.

_____

1. ¿Practico los deportes a las ocho y media?

_____

2. ¿Adónde voy al mediodía?

_____

3. Voy a la biblioteca a las dos y diez, ¿verdad?

_____

Nombre _____

4. Leo un libro en la casa de Felipe, ¿verdad?

_____

5. ¿Adónde camino a las cinco menos veinticinco?

_____

6. ¿A qué hora aprendo el vocabulario para la clase de español?

_____

7. ¿Cuándo voy a la casa de Felipe?

_____

8. ¿A qué hora escribo una carta a Lidia?

_____

Ñ. Now it's your turn to write about your Saturday activities. Write at least five sentences.

M **A las nueve y cuarto camino a la tienda.** _____

1. _____

2. _____

3. _____

4. _____

5. _____

Nombre _____

0. Señor and señora Payaso have come to visit you this afternoon. They're not speaking to each other, so it's up to you to ask the questions. Write eight questions based on the picture.

M **Señora Payaso, ¿no tiene usted miedo de los tigres?**

_____

M **Señor Payaso, ¿le gusta mucho leer?**

_____

1. _____

2. _____

3. _____

4. _____

5. _____

6. _____

7. _____

8. _____

¡Hablemos!   Nombre _____

A.   You have an active imagination. You've drawn Sochi, a creature from
         another planet. Answer your friends' questions about Sochi.

M   ¿Cuántas orejas tiene Sochi?

Tiene dos orejas. _____

1.   ¿Cuántas cabezas tiene Sochi?

_____

2.   ¿Cuántos brazos tiene?

_____

3.   ¿Cuántos dedos tiene en la mano?

_____

4.   ¿Cuántos ojos tiene?

_____

5.   ¿Cuántas narices tiene?

_____

6.   ¿Cuántas piernas tiene?

_____

7.   ¿Cuántos pies tiene?

_____

8.   ¿Cuántas rodillas tiene?

_____

¡Hablemos!   Nombre _____

B. Claudio is going to lead his class in a game of "Simón dice." He wrote down several commands but he mixed up the letters of the words. To help him out, unscramble the letters to complete the sentence. Then label the picture with the appropriate number.

[M] Simón dice —Toca la   **cintura**
                        _____ .
                          racintu

1. Simón dice —Toca los _____ .
                            biosla

2. Simón dice —Toca la _____ .
                            palesda

3. Simón dice —Toca las _____ .
                            mellasji

4. Simón dice —Toca el _____ .
                            doco

5. Simón dice —Toca los _____ .
                            broshom

6. Simón dice —Toca los _____ .
                            tollosbi

THINK FAST! ∿∿∿∿∿∿∿∿∿∿∿∿

How fast can you solve this riddle?

¿Qué tiene un pie pero no camina?   _____

Respuesta: ¡Una regla!

¡Hablemos!   Nombre _____

C.   Your pen pal wants to know what you look like. How do you answer her questions? Write answers that are true for you.

[M]   ¿Tienes la nariz grande o pequeña?

Tengo una nariz grande.
_____

1.   ¿Tienes pestañas largas o cortas?

_____

2.   ¿Tienes manos grandes o pequeñas?

_____

3.   ¿Tienes pies grandes o pequeños?

_____

4.   ¿Tienes piernas largas o cortas?

_____

5.   ¿Tienes una boca grande o pequeña?

_____

6.   ¿Tienes el pelo largo o corto?

_____

7.   ¿Tienes mucho pelo?

_____

8.   ¿Tienes una cara larga o corta?

_____

¿Cómo lo dices?   Nombre _____

A. It's a busy day in the nurse's office. She needs your help to list the patients.
Use **le duele** or **le duelen** to complete the sentence.

[M] A Pedro _____le duelen_____ los dedos.

1. A Judit _____ la cabeza.

2. A Mateo _____ el codo.

3. A Lupe _____ las manos.

4. A Hugo _____ el brazo.

5. A Adán _____ los pies.

6. A Inés _____ las orejas.

¿Cómo lo dices?   Nombre _____

B. Unfortunately, the nurse spilled water on your notes. She must find out for herself what is wrong with the students. Complete her question. Then look at the picture in Exercise A, page 18, to answer the question.

[M] P: Pedro, _____**te duele**_____ la cabeza, ¿verdad?

R: No, señora. _____**Me duelen los dedos.**_____

1. P: Adán, _____ las rodillas, ¿verdad?

R: No, señora. _____

2. P: Lupe, _____ el cuello, ¿verdad?

R: No, señora. _____

3. P: Mateo, _____ los dientes, ¿verdad?

R: No, señora. _____

4. P: Judit, _____ los hombros, ¿verdad?

R: No, señora. _____

5. P: Inés, _____ los tobillos, ¿verdad?

R: No, señora. _____

6. P: Hugo, _____ la espalda, ¿verdad?

R: No, señora. _____

C. You and some friends are hiking. Two of your friends have hurt themselves. David hurt himself above the waist and Laura hurt herself below the waist. To find out exactly what hurts, ask them each two questions. In one question use **te duele** and in the other, use **te duelen**.

David

M **¿Te duele el cuello?** _____

1. _____

2. _____

Laura

M **¿Te duelen las rodillas?** _____

1. _____

2. _____

THINK FAST! ∿∿∿∿∿∿∿∿∿∿∿∿∿∿∿

What can you say to people who tell you about their aches and pains? Complete the sentences and write the letters that go with the numbers.

1. Caminas con los ___ ___ ___ ___ .
                    1   2   3   4

2. La cabeza y las piernas son partes del ___ ___ ___ ___ ___ ___ .
                                            5   6   7   8   9   10

3. En la boca, tienes los dientes y la ___ ___ ___ ___ ___ ___ .
                                        11 12 13 14 15 16

4. Susana tiene los ojos azules y las ___ ___ ___ ___ ___ ___ ___ ___ largas.
                                       17 18 19 20 21 22 23 24

5. Escribes con la ___ ___ ___ ___ .
                    25 26 27 28

¡ Q ___ ___   ___ ___ ___ ___ ___ ___ ___ !
    6   3   11 23 19 20 2   25 16

UNIDAD 1

Nombre _____

D. Your friend Beto is making a sculpture of an imaginary creature. You don't know what it looks like. Complete the questions you will ask Beto.

M ¿Cómo son __**los**__ ojos?

1. ¿Cómo es _____ cara?   **4.** ¿Cómo es _____ pelo?

2. ¿Cómo son _____ piernas?   **5.** ¿Cómo son _____ hombros?

3. ¿Cómo son _____ pies?   **6.** ¿Cómo son _____ manos?

E. How would you complete the following sentences? Write your own ideas.

M Leo muchos libros. A veces ____**me duelen los ojos.**_____

1. Escribo mucho todos los días. A veces _____

2. Siempre camino a la escuela. A veces _____

3. Los sábados, pinto las paredes de la casa. A veces _____

_____

4. Uso la computadora cada día por cuatro horas. A veces _____

_____

5. Practico mucho los deportes. A veces _____

_____

_____

Nombre _____

EXPRESA TUS IDEAS

The members of the Explorers' Club are trying to build a booth for the school carnival. At the rate they're going, they may never finish! Señorita Aventura, their advisor, is very busy. Write a conversation based on the picture.

SRTA. AVENTURA: _____

BERTA: _____

PACO: _____

LUIS: _____

PEPE: _____

RITA: _____

ANA: _____

JOSÉ: _____

UNIDAD 1

¿Cómo lo dices?   Nombre _____

In most languages, you can find sayings that may not make sense when you translate them word for word. The sayings take on meanings of their own. These sayings are called **idioms** in English and **modismos** in Spanish. For example, the expression "to lend a hand" does not mean that a person actually gives someone his or her hand. The expression really means "to help."

Look at the following illustrations and read the Spanish expressions to the left and the English word-for-word translations to the right. In your own words, write what you think the expression really means. Then write an English expression that has a similar meaning.

¡La computadora cuesta un ojo de la cara!

The computer costs an eye from your face!

_____

_____

La mamá coge al hijo con las manos en la masa.

The mother catches her son with his hands in the dough.

_____

_____

_____

Nombre _____

La página de diversiones

Usa tu talento artístico

Do you think that life exists on a planet somewhere in a distant galaxy? What do you think a being from another planet might look like? Use your artistic talents (and a lot of imagination) to draw a picture of your being from space. Write some sentences about it on the lines provided.

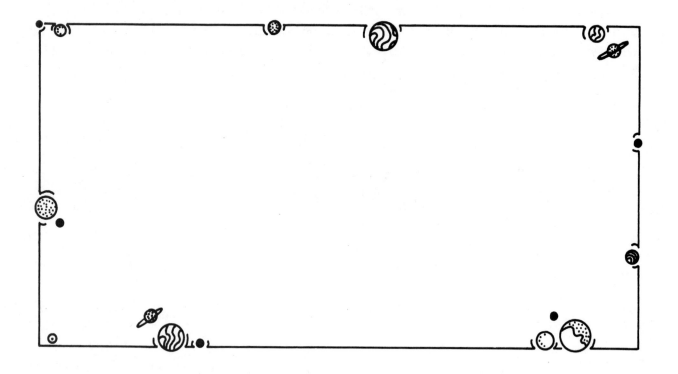

_____

_____

_____

_____

_____

_____

¡Hablemos!   Nombre _____

A. Mariano and Ema are going to perform in a skit. They are shopping for costumes in a secondhand store. What does each one buy? Complete each answer according to the picture.

M   ¿Qué compra él?

Compra _____**unos**_____

pantalones.

M   ¿Qué compra ella?

Compra _____**una**_____

falda.

1.   ¿Qué compra ella?

Compra _____

2.   ¿Qué compra él?

Compra _____

3.   ¿Qué compra él?

Compra _____

4.   ¿Qué compra él?

Compra _____

5.   ¿Qué compra él?

Compra _____

6.   ¿Qué compra ella?

Compra _____

THINK FAST!

Name an item of clothing that you would never wear outside your home.

_____

¡Hablemos!   Nombre _____

B. Ignacio is shopping for presents. His family likes dark clothing. Ignacio has found some items they will like, but he can't tell what size they are. Help him out. Use **grande, mediano,** or **pequeño** to write sentences about the dark clothing.

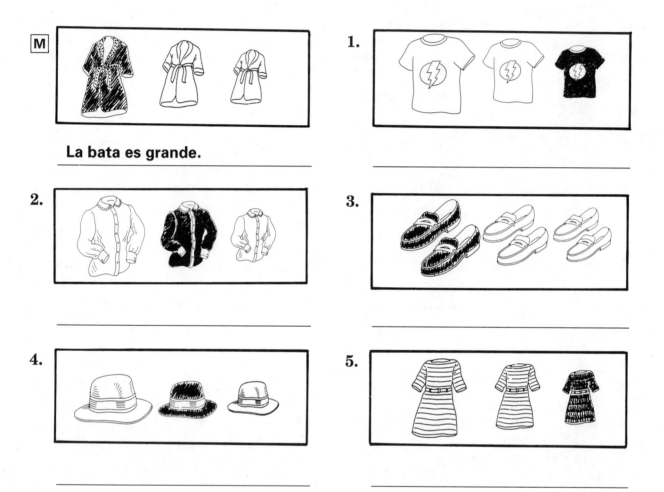

M **La bata es grande.** _____

1. _____

2. _____

3. _____

4. _____

5. _____

THINK FAST! ∿∿∿∿∿∿∿∿∿∿∿∿∿

Name three items of clothing that are often worn under another item of clothing.

1. _____ 2. _____ 3. _____

Name your favorite item of clothing.

¿Cuál es tu ropa favorita? ¿De qué color es?

_____

_____

UNIDAD 2

C. What do you wear in different situations? Read about each situation, then write a sentence with **llevar** telling what you wear in that situation.

M Hace fresco. Hace viento también.

     Llevo mi chaqueta. [Llevo mi suéter.]

1. Son las once de la noche. Tienes mucho sueño.

_____

2. Caminas a la escuela. Está lloviendo.

_____

3. Practicas los deportes. Hace sol.

_____

4. Es agosto. Vas a nadar.

_____

5. Vas al cine. Hace mucho frío y está nevando.

_____

6. Es septiembre. Vas a ir a una fiesta.

_____

7. Estudias en la casa. Tienes frío.

_____

8. Vas a caminar. Tienes frío en los pies.

_____

¡Hablemos!   Nombre _____

D.   What do you think is pretty? What do you think is ugly? Draw or find
pictures of clothing that is pretty and clothing that is ugly. Then write a
sentence about each item.

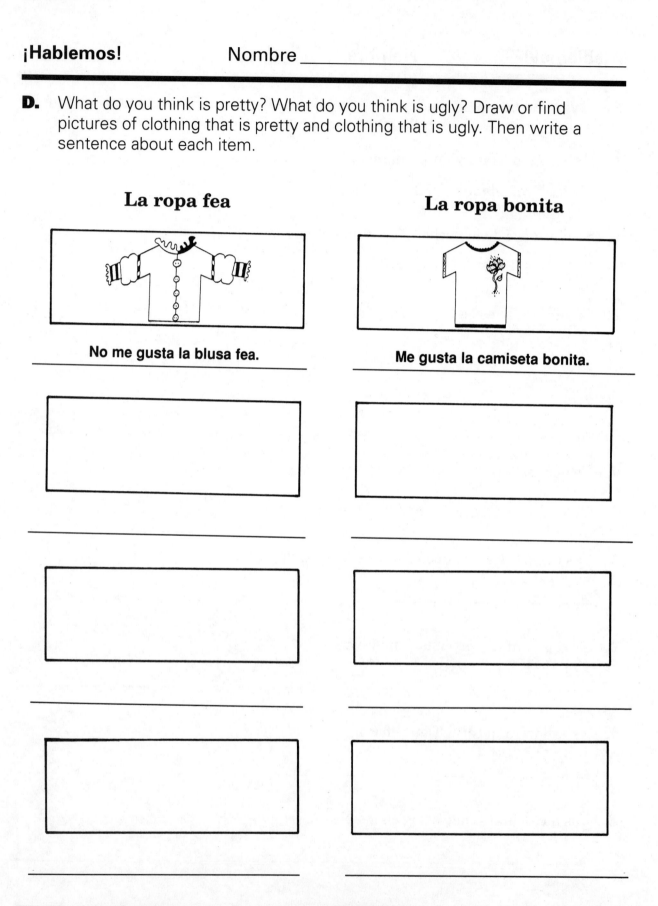

La ropa fea	La ropa bonita
No me gusta la blusa fea.	Me gusta la camiseta bonita.

¿Cómo lo dices?   Nombre _____

A. Constancia is all dressed up for her piano recital. She is very nervous. Tell her how nice she looks. Use the appropriate word in parentheses to write a sentence.

M Te (queda, quedan) bien la falda.

Te queda bien la falda.
_____

1. Te (queda, quedan) bien la blusa.

_____

2. Te (queda, quedan) bien los zapatos.

_____

3. Te (queda, quedan) bien las medias.

_____

4. Te (queda, quedan) bien el suéter.

_____

5. Te (queda, quedan) bien el sombrero.

_____

6. Te (queda, quedan) bien el abrigo.

_____

THINK FAST! ∿∿∿∿∿∿∿∿∿∿∿∿∿∿∿

Circle the sentence that describes the picture.

A ella le queda mal el vestido.

A ella le queda bien el vestido.

¿Cómo lo dices?   Nombre _____

B. You are window-shopping at the mall. The mannequins are all the same size, but the clothes aren't! Answer the questions about the clothes, according to the picture.

[M] ¿Cómo le queda la ropa a Julio?

Los pantalones le quedan cortos.

La camisa le queda bien.

1. ¿Cómo le queda la ropa a Julieta?

_____

_____

2. ¿Cómo le queda la ropa a José?

_____

_____

_____

3. ¿Cómo le queda la ropa a Judit?

_____

_____

4. ¿Cómo le queda la ropa a Juana?

_____

_____

_____

UNIDAD 2

¿Cómo lo dices?   Nombre _____

C.   Sometimes people need to be complimented. Choose four classmates and one adult. Write a compliment for each one about his or her clothes.

[M]   **Señora Antares, el vestido le queda bonito.** _____

1.   _____

2.   _____

3.   _____

4.   _____

5.   _____

D.   Do all of your clothes fit well? Are some items too small or too short? Write four sentences about the clothes that don't fit you well.

[M]   **Mi abrigo favorito me queda pequeño.** _____

1.   _____

2.   _____

3.   _____

4.   _____

UNIDAD 2

¿Cómo lo dices?   Nombre _____

E. You and some friends are having a pool party. Everyone's clothing has ended up in one pile. Help sort out the items. Answer each question according to the pictures.

M ¿De quién es la camiseta?

Es de Inés.

1. ¿De quién es la camisa?

_____

2. ¿De quién es la chaqueta?

_____

3. ¿De quién es la camiseta?

_____

4. ¿De quién es la falda?

_____

5. ¿De quién es la chaqueta?

_____

THINK FAST! ∼∼∼∼∼∼∼∼∼∼∼∼∼∼∼∼∼∼∼∼

Circle the word in each line that does not belong.

1. zapatos   medias   camisa   calcetines

2. botas   pijama   abrigo   sombrero

3. bata   impermeable   chaqueta   traje de baño

4. blusa   camisa   pantalones   camiseta

¿Cómo lo dices?   Nombre _____

F. Four visitors have left their belongings in your classroom. Sort them out. Use the lists to answer the questions.

El hombre	**La mujer**	**El muchacho**	**La muchacha**
un sombrero	un suéter	una chaqueta	un abrigo
un bolígrafo	un cuaderno	dos libros	un librito
dos reglas	dos mapas	un lápiz	un reloj

[M] ¿De quién son las reglas?

Son del hombre.
_____

[M] ¿De quién es el librito?

Es de la muchacha.
_____

1. ¿De quién es el suéter?

_____

2. ¿De quién son los libros?

_____

3. ¿De quién es la chaqueta?

_____

4. ¿De quién es el bolígrafo?

_____

5. ¿De quién son los mapas?

_____

6. ¿De quién es el reloj?

_____

G. There are a few items left to be sorted out. Use the lists in Exercise F to answer the questions.

[M] ¿Son las reglas del hombre o de la mujer?   **Las reglas son de él.**
_____

1. ¿Es el cuaderno del hombre o de la mujer? _____

2. ¿Es el abrigo del muchacho o de la muchacha? _____

3. ¿Es el sombrero del hombre o de la mujer? _____

¿Cómo lo dices? Nombre _____

H. How well do you observe the people and things around you? Write complete sentences to answer the questions. Use the lists.

grande	bonito	aburrido
mediano	feo	largo
pequeño	interesante	corto

M ¿Cómo es el escritorio de la profesora?

El escritorio de la profesora es largo.
_____

1. ¿Cómo son los libros de un compañero?

_____

2. ¿Cómo es el pupitre de una compañera?

_____

3. ¿Cómo es el reloj del profesor o de la profesora?

_____

4. ¿Cómo son los lápices de un amigo?

_____

5. ¿Cómo son los zapatos de una amiga?

_____

6. ¿Cómo es el pelo de un hermano o de una hermana?

_____

Nombre _____

EXPRESA TUS IDEAS

The Explorers' Club is rehearsing for a play to raise money for their summer trip. It looks like they may have to spend some money on costumes first! Write at least ten sentences about the picture.

_____

_____

_____

_____

_____

_____

_____

_____

_____

Nombre _____

La página de diversiones

Horizontales

1. Compro medias en la tienda de — .

3. Llevo esta ropa en las piernas.

7. En julio llevo mi — de baño.

11. No es grande. No es pequeño. Es — .

12. Escribo con la — .

13. El suéter azul es — Julio.

15. A veces hay dibujos divertidos en las — .

Verticales

2. Hace frío. Llevo un — .

3. A la medianoche, llevo un — .

4. ¿A ti no — gusta la falda?

5. ¿Cómo — queda la ropa a Iris?

6. Compro un — para la cabeza.

8. No es pequeño. Es — .

9. No son bonitas. Son — .

10. Hace calor y hace — .

14. Tengo una bata bonita. Es — bata favorita.

¡Hablemos!

Nombre _____

A. You are trying to describe your friends' hair to your mother. Choose the appropriate words from the lists to complete the sentence.

largo	mediano	ondulado
corto	lacio	rizado

M

El pelo de Antonia es ___**corto**___ y ___**lacio**___ .

1.

El pelo de Federico es _____ y _____ .

2.

El pelo de Laura es _____ y _____ .

3.

El pelo de Mariela es _____ y _____ .

4.

El pelo de Juanito es _____ y _____ .

¡Hablemos!   Nombre _____

B.   Carlos and Carola are showing you old pictures of themselves to prove how much they have changed over the years. Write a sentence describing Carlos and Carola in each of their pictures.

Carlos tiene tres años. **Él es bajo y grueso.**

1.

Carlos tiene ocho años. _____

2.

Carlos tiene quince años. _____

3.

Carola tiene seis años. _____

4.

Carola tiene once años. _____

5.

Carola tiene dieciocho años. _____

THiNK FAST!

Draw a line from the word on the left to the word on the right that has the opposite meaning.

lacio	largo
fuerte	rizado
corto	alto
bajo	débil

UNIDAD 3

C. Ester is trying to describe her friends' personalities. She needs help in choosing the right adjective. After reading the description, answer the question.

M Jaime siempre practica los deportes. ¿Es tímido o es atlético?

Jaime es atlético. _____

1. Carmenza siempre tiene prisa. Siempre mira su reloj. ¿Es inteligente o es

   impaciente? _____

2. Eduardo compra camisetas para sus amigos. ¿Es generoso o es cómico?

   _____

3. A Diana le gustan las personas. Ella tiene muchos amigos. ¿Es atlética o es

   popular? _____

4. Rosita tiene miedo de bailar. También tiene miedo de cantar. ¿Es impaciente o

   es tímida? _____

D. What is your best friend like? Write three sentences describing your best friend.

tímido	inteligente	popular	simpático
atlético	cómico	impaciente	generoso

1. _____

2. _____

3. _____

¿Cómo lo dices?   Nombre _____

A. You are having a conversation with Javier Montenegro. He is a foreign exchange student from Chile. Use **soy, eres,** or **es** to complete what each one of you says.

M P: Javier, ¿ ____eres____ tú muy atlético?

R: Yo no ____soy____ atlético. Mi hermano ____es____ atlético.

1. P: Javier, ¿ _____ cómico tu hermano?

R: No, él no _____ cómico. Mi hermana _____ cómica.

2. P: Javier, ¿ _____ tú impaciente?

R: Sí, a veces _____ impaciente. Mi tío _____ muy impaciente.

3. P: Javier, ¿ _____ bonita tu hermana?

R: Sí, ella _____ bonita. Mi mamá también _____ bonita.

4. P: Javier, ¿ cómo _____ tú?

R: _____ alto y delgado. También _____ generoso.

5. P: Javier, ¿ _____ simpático tu papá?

R: Sí, él _____ muy simpático. A veces mi hermano no _____ simpático.

¿Cómo lo dices? Nombre _____

B. The Association of Twins is having a convention. What are the twins like? Write a sentence about each pair of twins.

M Lupe y Luisa / bajo

    Lupe y Luisa son bajas. _____

1. Eva y Ema / fuerte

_____

2. José y Josué / grueso

_____

3. Rubén y Raúl / alto

_____

4. Carla y Clara / cómico

_____

5. Mario y Mateo / tímido

_____

C. Elisa Garza is showing you pictures of her family and friends. What do you ask? Complete the question according to the picture.

M ¿ ____**Son**____ altos tus abuelos?

1. ¿ _____ fuerte tu hermana?

2. ¿ _____ simpáticos tus amigos?

3. ¿ _____ inteligentes tus amigos?

4. ¿ _____ pequeño tu perro?

5. ¿ _____ alto y delgado tu primo?

¿Cómo lo dices?   Nombre _____

D. Now Elisa wants to ask you some questions. Write answers that are true for you.

M ¿Son simpáticos tus abuelos?

**Sí, mis abuelos son muy simpáticos.** _____

1. ¿Son atléticos tus amigos?

   _____

2. ¿Eres tú atlético o atlética?

   _____

3. ¿Son impacientes tus profesores?

   _____

4. ¿Eres tú impaciente?

   _____

5. ¿Son generosos tus compañeros de clase?

   _____

6. ¿Eres tú generoso o generosa?

   _____

THINK FAST! ∿∿∿∿∿∿∿∿∿∿∿∿∿∿∿

Write three adjectives you would use to give your best friend a compliment.

_____   _____   _____

¿Cómo lo dices?   Nombre _____

E. The Buñuelo family is walking through the House of Mirrors. How do the family members compare to one another? Complete the sentence according to the picture, using **más . . . que**.

Olga es ___**más alta que**___ su mamá.

1. Tío Víctor es _____

_____ Samuel.

2. Rosita es _____ Pepito.

3. El abuelito es _____ la abuelita.

4. Tía Nora es _____ Paula.

5. Luis es _____ su papá.

¿Cómo lo dices?   Nombre _____

F. You are at the zoo today. How do you describe and compare the animals? Complete the sentence according to the picture, using **menos . . . que**.

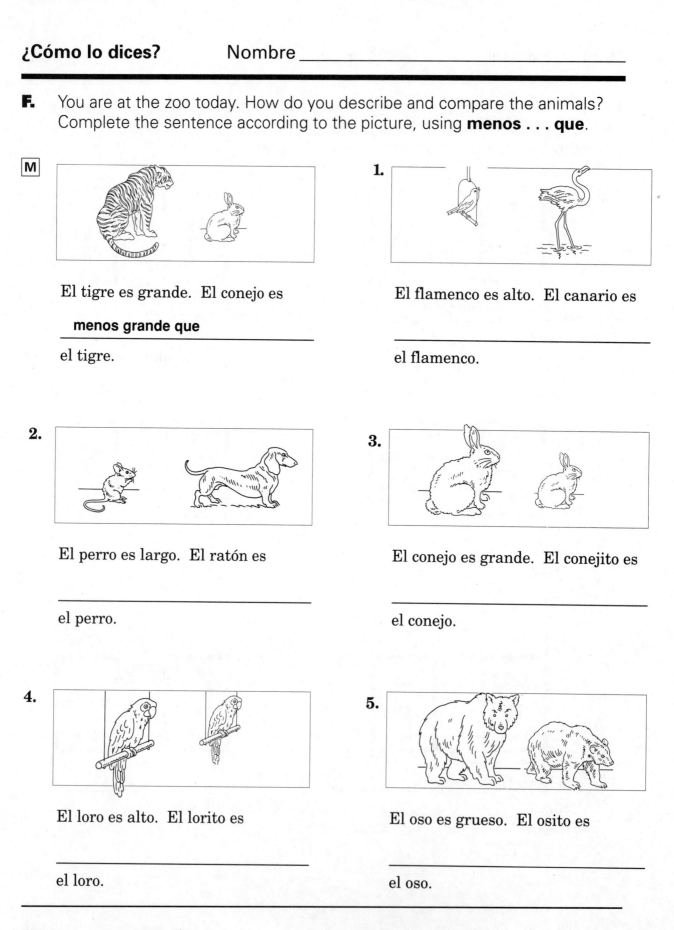

M

El tigre es grande. El conejo es

menos grande que
_____

el tigre.

1.

El flamenco es alto. El canario es

_____

el flamenco.

2.

El perro es largo. El ratón es

_____

el perro.

3.

El conejo es grande. El conejito es

_____

el conejo.

4.

El loro es alto. El lorito es

_____

el loro.

5.

El oso es grueso. El osito es

_____

el oso.

UNIDAD 3

G. How do you compare people and things around you? Write a sentence using **más . . . que** or **menos . . . que**.

M Yo / alto (alta) / la profesora.

   Yo soy más alto que la profesora.
_____

   [Yo soy menos alta que la profesora.]
_____

1. Mi pupitre / grande / la mesa.

_____

2. Yo / impaciente / mi amigo (mi amiga).

_____

3. La ventana / alta / la puerta.

_____

4. Mi libro de español / interesante / mi libro de inglés.

_____

5. Yo / cómico (cómica) / mi amigo (mi amiga).

_____

6. Las muchachas / atléticas / los muchachos.

_____

¿Cómo lo dices?   Nombre _____

H. You have a pen pal named Cristina in South America. What would you write to your pen pal about your classes and school? Write a letter with at least six sentences to answer Cristina's letter.

¡Hola, amiga!

    Vivo en una casa pequeña. Mi casa es menos grande que el gimnasio de la escuela.

    Tengo muchas clases. La clase de ciencias es interesante. Es más interesante que la educación física. La geografía es menos divertida que las ciencias sociales. La clase de ciencias sociales es más aburrida que la clase de matemáticas. Y la clase de español es más popular que la clase de inglés. ¿Cómo son tus clases?

                                            ¡Hasta luego!
                                            Cristina

¿Cómo lo dices?   Nombre _____

One way to remember the meanings of words is to remember them in pairs. Sometimes you can recall one word by remembering a word that has an opposite meaning. You have already learned many pairs of opposites.

largo . . . corto	delgado . . . grueso	bonito . . . feo
grande . . . pequeño	alto . . . bajo	fuerte . . . débil

Learning opposites can also help you guess the meanings of new words. If you know one word, it is easy to guess the meaning of its opposite. Read the following sentences and underline the words that you think are opposites:

1. Raimundo es muy generoso, pero Felipe es muy tacaño.

2. Amalia es cómica, pero su hermana es seria.

3. El señor Márquez es simpático, pero el señor Rojas es antipático.

4. La señora Vega es paciente, pero la señora Estévez es impaciente.

5. Beatriz es tímida, pero Timoteo es atrevido.

Occasionally, words are easy to learn because they are cognates. (Recall that cognates are words in Spanish and English that have similar spellings and meanings.)

Reread the five sentences. Then, on the lines below, write all the words that you can recognize as cognates.

_____

_____

Nombre _____

La Página de diversiones

Busca la palabra

First, read the sentences. Then look in the puzzle for each word in a sentence that is in heavy **black** letters. The words may appear across, down, or diagonally in the puzzle. When you find a word, circle it.

1. **Mi amiga débil** es **baja** y **cómica.**

2. Yo **soy más impaciente** que tú.

3. Juan tiene el **pelo largo** y los ojos **azules.**

4. El pelo **rubio** me gusta **menos que** el pelo **castaño.**

5. El muchacho del pelo **rojizo** y **lacio** es **alto.**

6. Tú no **eres tímido**, ¿verdad?

7. La muchacha del pelo **corto** es muy **popular.**

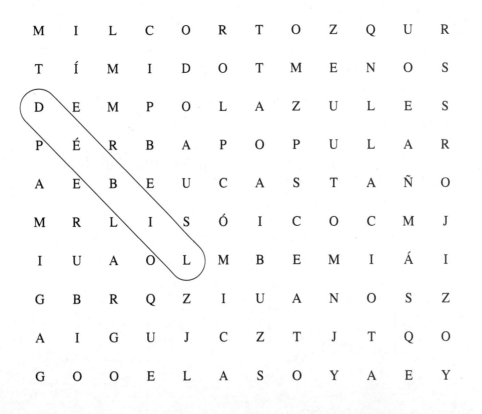

M	I	L	C	O	R	T	O	Z	Q	U	R
T	Í	M	I	D	O	T	M	E	N	O	S
D	E	M	P	O	L	A	Z	U	L	E	S
P	É	R	B	A	P	O	P	U	L	A	R
A	E	B	E	U	C	A	S	T	A	Ñ	O
M	R	L	I	S	Ó	I	C	O	C	M	J
I	U	A	O	L	M	B	E	M	I	Á	I
G	B	R	Q	Z	I	U	A	N	O	S	Z
A	I	G	U	J	C	Z	T	J	T	Q	O
G	O	O	E	L	A	S	O	Y	A	E	Y

Unidades 1–3   Nombre _____

A. What are señora Moreno's students like? Answer the question according to the picture.

M El pelo de Felipe es _____**más lacio que**_____ el pelo de José.

M Olga es _____**más alta que**_____ Rosita.

1. El pelo de Olga es _____ el pelo de Marina.

2. José es _____ Arsenio.

3. Marina es _____ Ernesto.

4. El pelo de Arsenio es _____ el pelo de Rosita.

5. Los brazos de José son _____ los brazos de Felipe.

6. Las piernas de Ernesto son _____ las piernas de Olga.

B.   Amalia is a new student from Panama. She has many questions about weather, activities, and clothing. How do you answer her questions? For each season, answer the questions in your own words.

1.   En el otoño . . .

   a.   ¿Qué tiempo hace? _____

   b.   ¿Qué te gusta hacer? _____

   c.   ¿Qué ropa llevas? _____

2.   En el verano . . .

   a.   ¿Qué tiempo hace? _____

   b.   ¿Qué te gusta hacer? _____

   c.   ¿Qué ropa llevas? _____

3.   En el invierno . . .

   a.   ¿Qué tiempo hace? _____

   b.   ¿Qué te gusta hacer? _____

   c.   ¿Qué ropa llevas? _____

4.   En la primavera . . .

   a.   ¿Qué tiempo hace? _____

   b.   ¿Qué te gusta hacer? _____

   c.   ¿Qué ropa llevas? _____

REPASO

C. Señor Preguntón is a roving reporter for a national newspaper. He is trying to find out if best friends are alike or different. Answer his questions in your own words.

M ¿Quién es atlético, tú o tu amigo?

Mi amigo es atlético. Yo no soy atlético.

[Mi amiga no es atlética. Yo soy atlética.]

1. ¿Quién lee muchos libros, tú o tu amigo?

   _____

2. ¿Quién es impaciente, tú o tu amigo?

   _____

3. ¿Quién siempre tiene razón, tú o tu amigo?

   _____

4. ¿Quién es generoso, tú o tu amigo?

   _____

5. ¿Quién es cómico, tú o tu amigo?

   _____

6. ¿Quién escribe muy bien en español, tú o tu amigo?

   _____

Unidades 1–3   Nombre _____

D. When you talk to Roberto, he tells you about his family. How do you describe the members of his family and their activities? Write two or three sentences about the picture, answering the questions **¿Cómo es?** and **¿Qué hace?**

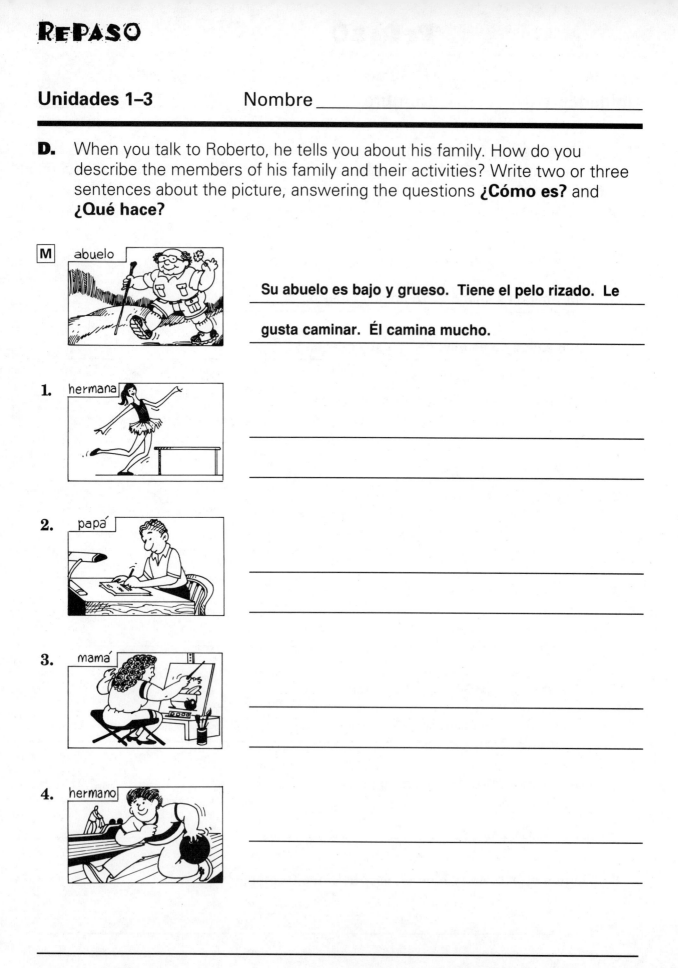

M abuelo

Su abuelo es bajo y grueso. Tiene el pelo rizado. Le gusta caminar. Él camina mucho.

1. hermana

_____

_____

2. papá

_____

_____

3. mamá

_____

_____

4. hermano

_____

_____

REPASO

Unidades 1–3   Nombre _____

E. Imagine that you have won money for a shopping trip. What are you going to buy? Answer the question **¿Qué vas a comprar?**

M	1.	2.

Voy a comprar la

camiseta.

3.	4.	5.

F. Now that you have made your purchases, the store owners want to know if you are satisfied. Answer their questions.

¿Te gusta tu ropa? _____

¿Por qué? _____

¿Te gustan los colores? _____

_____

G. The school newspaper wants to print a feature story — about you! How do you describe your favorite people and things? Answer the questions in your own words.

1. ¿Cómo es tu clase favorita?

   _____

   _____

2. ¿Cómo son tus zapatos favoritos?

   _____

   _____

3. ¿Cómo es tu animal favorito?

   _____

   _____

4. ¿Cómo es tu amigo favorito o tu amiga favorita?

   _____

   _____

5. ¿Cómo es tu camiseta favorita?

   _____

   _____

¡Hablemos! Nombre _____

A. All the labels have fallen off the bulletin-board display. Help the teacher by writing the new ones.

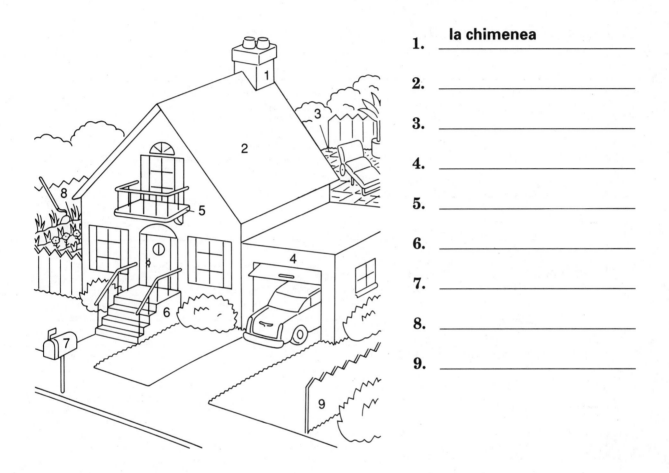

1. **la chimenea** _____

2. _____

3. _____

4. _____

5. _____

6. _____

7. _____

8. _____

9. _____

¡Hablemos!   Nombre _____

B. How well do you know your own house or apartment? Answer the questions in your own words.

1. ¿Cuántos cuartos hay en tu casa o tu apartamento?

   _____

2. ¿Cuál es más grande, la sala o el cuarto de baño?

   _____

3. ¿De qué color es tu dormitorio?

   _____

4. ¿De qué color es el dormitorio de tus papás?

   _____

5. ¿Es grande o pequeña la cocina?

   _____

6. ¿Cuál es más pequeño, tu dormitorio o la cocina?

   _____

7. ¿De qué color es la sala?

   _____

8. ¿Cuál es tu cuarto favorito?

   _____

UNIDAD 4

¡Hablemos!   Nombre _____

C. What do you have in your house or apartment building? Answer the questions.

M ¿Tu casa tiene sótano?

    No, no tiene sótano.
_____

M ¿Tu casa tiene escaleras?

    Sí, tiene escaleras.
_____

1. ¿Tu casa tiene cuarto de baño?

_____

2. ¿Tu casa tiene sala?

_____

3. ¿Tu casa tiene patio?

_____

4. ¿Tu casa tiene despacho?

_____

5. ¿Tu casa tiene comedor?

_____

6. ¿Tu casa tiene jardín?

_____

7. ¿Tu casa tiene dormitorios?

_____

8. ¿Tu casa tiene cocina?

_____

THiNK FAST! ∿∿∿∿∿∿∿∿∿∿∿∿∿

Fill in the missing letters to discover the secret word in the squares.

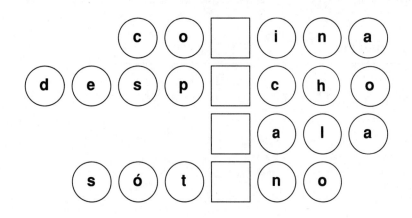

c o ☐ i n a

d e s p ☐ c h o

☐ a l a

s ó t ☐ n o

La palabra secreta es _____ .

UNIDAD 4

¿Cómo lo dices?   Nombre _____

A. Iris and Luis are looking at their photo album. Can you talk about the pictures without using any names? Write **nosotros, nosotras, ellos,** or **ellas**, according to the picture.

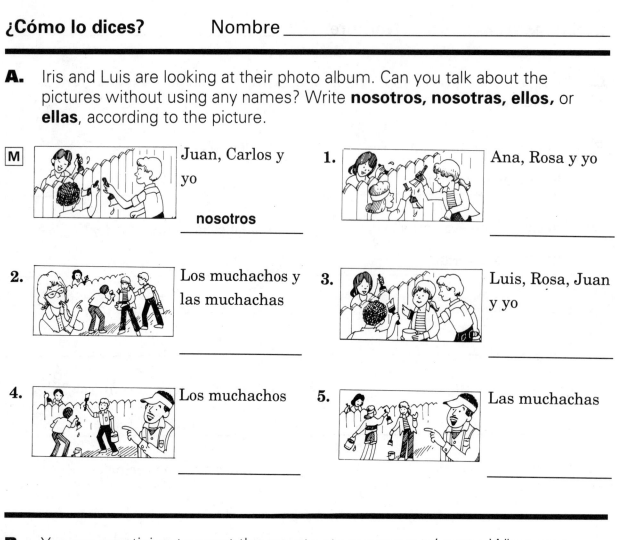

M | Juan, Carlos y yo

nosotros

1. Ana, Rosa y yo

_____

2. Los muchachos y las muchachas

_____

3. Luis, Rosa, Juan y yo

_____

4. Los muchachos

_____

5. Las muchachas

_____

B. You are practicing to meet the guests at your parents' party. What pronouns can you use to address different people? Write **tú, usted,** or **ustedes.**

M ¿Sr. López y Sr. Ruiz?   1. ¿Srta. Aguilar?   2. ¿Sr. Millán y Srta. Luna?

ustedes

_____   _____   _____

3. ¿Sra. Gómez y sus hijos?   4. ¿La hija del Sr. Ruiz?   5. ¿Los hijos de la Sra. Gómez?

_____   _____   _____

UNIDAD 4

C. You have invited some friends to your house. Where are they now?
Complete each sentence with **está** or **están**.

M. Lupe _____**está**_____ en la sala.

3. Sara _____ en la sala.

1. José y Paco _____ en el patio.

4. Inés y Luis _____ en el comedor.

2. Diego _____ en la cocina.

5. María _____ en el despacho.

D. Now your mother wants to know where everyone is. Complete each question and answer.

M. P: Lupe, ¿dónde _____**están**_____ Sara y tú?

R: Nosotras _____**estamos**_____ en la sala.

1. P: Diego, ¿dónde _____ tú?

R: Yo _____ en la cocina.

2. P: José y Paco, ¿dónde _____ ustedes?

R: Nosotros _____ en el patio.

3. P: María, ¿dónde _____ tú?

R: Yo _____ en el despacho.

4. P: Inés y Luis, ¿dónde _____ ustedes?

R: Nosotros _____ en el comedor.

¿Cómo lo dices?   Nombre _____

E. You have planned a surprise party for your friend Arturo. You want to know where the guests are hiding in the house. What do you ask? Complete the questions according to the names.

M Laura y Beto, __¿dónde están ustedes?_____

1. Alfredo, _____

2. Pilar, _____

3. Virginia y Paula, _____

4. Miguel y Fernando, _____

F. What do your friends answer? Write the answers according to the pictures and the names.

M    (Laura y Beto)

Nosotros estamos en la cocina.

1. 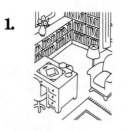   (Alfredo)

_____

¿Cómo lo dices?　　　Nombre _____

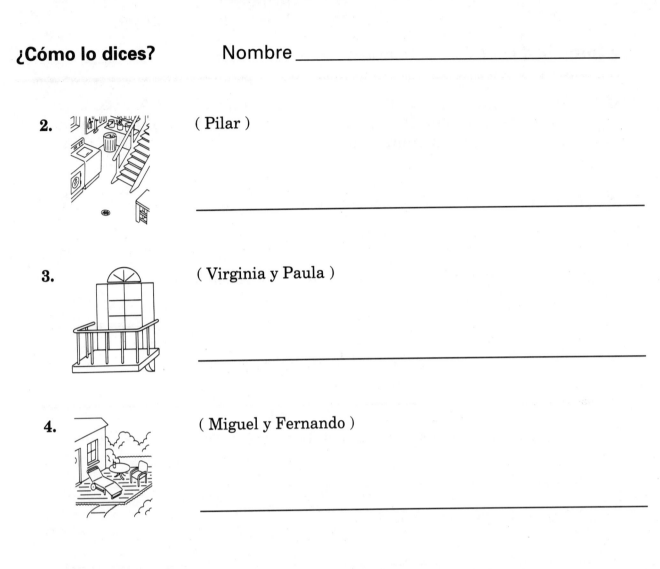

2.　(Pilar)

_____

3.　(Virginia y Paula)

_____

4.　(Miguel y Fernando)

_____

THINK FAST! ∿∿∿∿∿∿∿∿∿∿∿∿∿∿∿∿∿∿∿

What do you say to a group of people when you meet them? Follow the arrows to discover the question. Then write the question on the line beneath the puzzle.

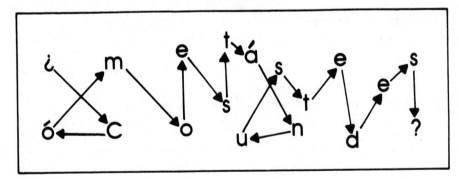

_____

_____

UNidAD 4

G. Where are you and your friends at different times of day? Are you in Spanish class, in the gymnasium, in your room at home? Answer in your own words, using **siempre** or **a veces**.

M ¿Dónde estás a las cinco de la mañana?

Siempre estoy en mi dormitorio.

_____

1. ¿Dónde están tus amigos y tú a las cinco y media de la tarde?

_____

2. ¿Dónde estás a las diez y cuarto de la mañana?

_____

3. ¿Dónde están tus amigos y tú a las dos de la tarde?

_____

4. ¿Dónde estás a las ocho de la noche?

_____

5. ¿Dónde están tus amigos y tú a las once y media de la noche?

_____

6. ¿Dónde estás a las cuatro de la tarde?

_____

7. ¿Dónde está tu amigo o tu amiga a las nueve de la mañana?

_____

8. ¿Dónde están tus amigos o tus amigas a las siete de la noche?

_____

¿Cómo lo dices?   Nombre _____

H. Adriana is very young and has lots of questions about where things are. Answer her questions using **dentro de** or **fuera de**.

M ¿Dónde está el garaje?

 El garaje está fuera de la casa.

1. ¿Dónde está el techo?

 _____

2. ¿Dónde está la sala?

 _____

3. ¿Dónde está la cocina?

 _____

4. ¿Dónde está la cerca?

 _____

5. ¿Dónde están las escaleras?

 _____

6. ¿Dónde está el dormitorio?

 _____

¿Cómo lo dices?   Nombre _____

I. The Luna family members are trying to spend a quiet day at home! Write a sentence about each picture, using **dentro de** or **fuera de**.

M.

Simón y el flamenco están dentro del cuarto de baño.

1.

_____

_____

2.

_____

_____

3.

_____

_____

4.

_____

_____

¿Cómo lo dices?   Nombre _____

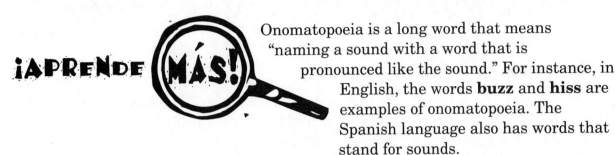

¡APRENDE **MÁS!**

Onomatopoeia is a long word that means "naming a sound with a word that is pronounced like the sound." For instance, in English, the words **buzz** and **hiss** are examples of onomatopoeia. The Spanish language also has words that stand for sounds.

Read the column of words on the left and the description of sounds on the right. How quickly can you match the descriptions to the words? Write the letter of the description on the line to the left of the word. One has been done for you.

____**c**____ ¡Toc!

_____ ¡Ruum, ruum!

_____ ¡Cataplum!

_____ ¡Buaah! ¡Buaah!

_____ ¡Zas!

_____ ¡Guau-guau!

a. the sound of a motor revving up

b. the sound of a young child crying loudly

c. the sound of a paddle when it hits a ping-pong ball

d. the sound a barking dog makes

e. the sound a big object makes when it falls over or is dropped

f. the sound of something going by very fast

¡Cataplum!

Nombre _____

La Página de diversiones

¿Dónde está el perro?

Sultán, the dog, loves rainy days and mud puddles. He has run into the house and has tracked mud all over! Help his owner find him by following the trail of paw prints. Write a sentence for each room that is numbered.

1. **Está en la cocina.** _____

2. _____

3. _____

4. _____

5. _____

6. _____
   _____

7. _____
   _____

8. _____
   _____

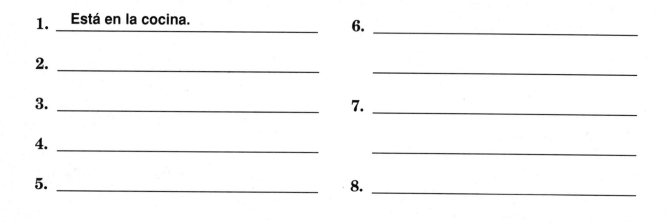

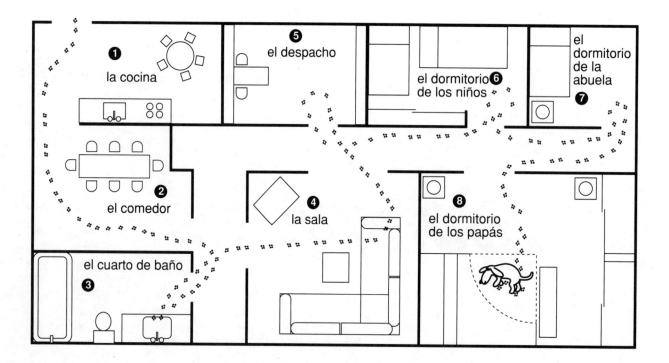

¡Hablemos!   Nombre _____

A.   To learn the vocabulary words, you want to put signs on things in the living room and the bedroom. For each picture, write what will go on the sign.

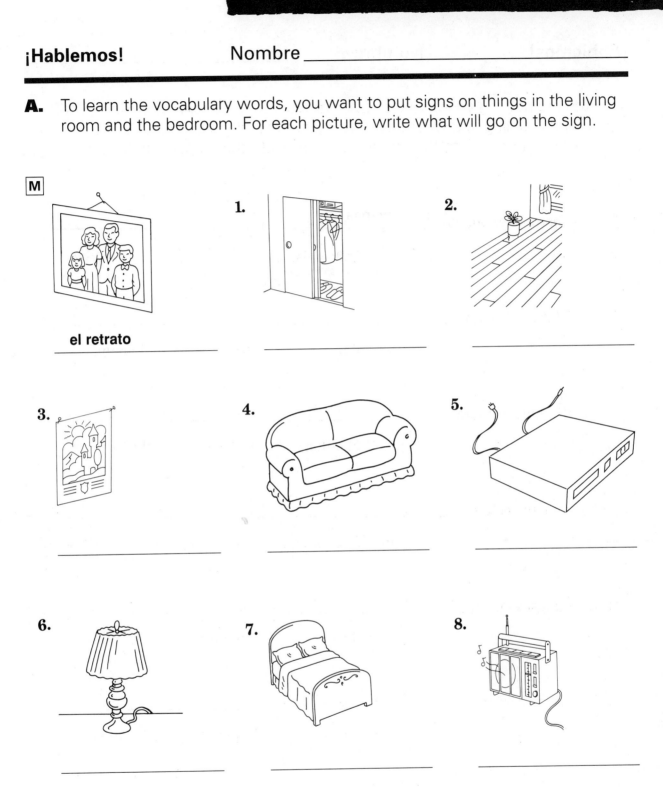

M

el retrato

1. _____

2. _____

3. _____

4. _____

5. _____

6. _____

7. _____

8. _____

¡Hablemos!   Nombre _____

B. You are helping your friend's family move into their new apartment. Your friend is telling you where everything is. What does she say? Circle the word that goes with the sentence. Then write the word in the blank.

M Las cortinas están en **las ventanas** _____.

(las ventanas)   la pared   el sillón

1. Los libros están en _____.

   el piso   el estante   la cama

2. La alfombra está en _____.

   el sillón   el piso   el espejo

3. La lámpara está en _____.

   la mesita de noche   el cartel   el equipo de sonido

4. El sofá está en _____.

   el ropero   la pared   la sala

5. El retrato está en _____.

   el sofá   la pared   la sala

6. La almohada está en _____.

   el tocador   el estante   la cama

¡Hablemos! Nombre _____

C. What do you have in your living room and bedroom? First, make a list for each room. Then write two sentences about the rooms.

Emilio: En mi dormitorio hay dos carteles, una cama, un tocador, un ropero y una alfombra.

La sala	**Mi dormitorio**
_____	_____
_____	_____
_____	_____
_____	_____
_____	_____

1. _____

_____

2. _____

_____

THINK FAST! ∿∿∿∿∿∿∿∿∿∿∿∿∿∿∿

How quickly can you answer these questions?

1. Name three things in a bedroom or living room that run on electricity.

_____

2. Name three things you can put on a wall.

_____

¿Cómo lo dices?   Nombre _____

A. Marcia never puts her clothes away. They are scattered all over the place!
Complete the sentence using **cerca, lejos, delante,** or **detrás**.

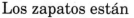

Los zapatos están

detrás
_____

del sofá.

1.

La falda está

_____

del ropero.

2.

La chaqueta está

_____

del sillón.

3.

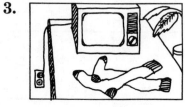

Las medias están

_____

del televisor.

4.

La bata está

_____

de la puerta.

5.

La blusa está

_____

del ropero.

6.

Los zapatos están

_____

del radio.

7.

El pijama está

_____

del dormitorio.

8.

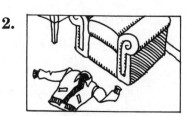

El sombrero está

_____

del tocador.

UNIDAD 5

B. You are describing to Marcia where her other belongings are. Write sentences telling where each item is.

M Tu impermeable / lejos de / ropero.

Tu impermeable está lejos del ropero.

1. Tu abrigo / delante de / estante.

_____

2. Tu traje de baño / detrás de / cama.

_____

3. Tus camisetas / lejos de / equipo de sonido.

_____

4. Tu vestido / cerca de / radio.

_____

C. Do you always put your clothes away or do you scatter them around? Answer the questions in your own words, using **cerca de, lejos de, delante de,** or **detrás de**.

1. ¿Dónde están tus zapatos?   3. ¿Dónde está tu bata?

_____   _____

2. ¿Dónde está tu chaqueta?   4. ¿Dónde están tus camisetas?

_____   _____

¿Cómo lo dices?   Nombre _____

D. Your family's friend Señor Ojeda has just moved to a new apartment. Help him finish his list of where his belongings are. Complete the sentence using **el, los, la,** or **las**.

M   **La** _____ cama está en __**el**____ dormitorio.

1. _____ sillas azules están en _____ balcón.

2. _____ cartel grande está en _____ despacho.

3. _____ sillones están cerca de _____ ventanas en _____ sala.

4. _____ equipo de sonido está en _____ comedor.

5. _____ radio pequeño está en _____ cocina.

6. _____ lápices negros están en _____ escritorio.

7. _____ peces están en _____ mesita cerca de _____ pared.

8. _____ mapas están en _____ estante detrás de _____ libros.

THINK FAST!

Now that you know some rules for identifying masculine and feminine words, you can even identify words that are unfamiliar to you. Try it! Circle the masculine words and draw a box around the feminine words in the sentences.

1. Las flores   rojas están en   el rosal   de   la hacienda.

2. El acuario   grande está cerca de   las macetas   en   la terraza.

3. Los casetes   están detrás de   la grabadora.

4. El delfín   y   la ballena   no son   peces;   son   mamíferos.

UNIDAD 5

Nombre _____

E.   Your neighbor Carlota Ojeda does not like her new apartment. She has nothing nice to say about it! How does she answer your questions? Answer the question, using the word in parentheses.

M ¿Cómo son los dormitorios?   (feo)

   Los dormitorios son muy feos. _____

1. ¿Cómo son los roperos?   (pequeño)

   _____

2. ¿Cómo son las paredes?   (oscuro)

   _____

3. ¿Cómo es la cocina?   (largo)

   _____

4. ¿Cómo son los estantes?   (bajo)

   _____

5. ¿Cómo es el tocador?   (alto)

   _____

6. ¿Cómo son los cuadros en la sala?   (feo)

   _____

7. ¿Cómo es la cerca?   (grande)

   _____

8. ¿Cómo son las casas cerca del apartamento?   (feo)

   _____

¿Cómo lo dices?   Nombre _____

F.   You want to buy a gift for a classmate. You need to find out what his or her room is like. Choose a classmate. Ask him or her the questions.

Preguntas

1. ¿Cómo es tu dormitorio?

2. ¿De qué color son las paredes?

3. ¿De qué color es la alfombra?

4. ¿Qué muebles hay en tu dormitorio?

5. ¿Qué tienes en tu dormitorio? (¿un radio? ¿un televisor? ¿un estante de libros? ¿un espejo grande?)

1. _____

2. _____

3. _____

4. _____

_____

5. _____

_____

Nombre _____

▓▓▓ EXPRESA TUS IDEAS ▓▓▓➤

The members of the Explorers' Club have volunteered to help señorita Aventura move into her new home. Are they doing a good job? Write at least eight sentences about the picture.

_____

_____

_____

_____

_____

_____

_____

_____

_____

Nombre _____

La página de diversiones

Busca las palabras

Read each sentence. Look in the puzzle for the words in heavy **black** letters. Each word may appear across or down in the puzzle. When you find a word, circle it. One has been done for you. The letters that are not circled form a secret word. Write the word on the line below the puzzle.

√

1. **Los sofás son** mis **muebles** favoritos.
2. El **cartel** feo **está** detrás del **espejo**.
3. La **almohada** está **lejos** de la **cama**.
4. El **teléfono** está en el **balcón**.
5. El **sillón** en la **sala** está **cerca** de la pared.

```
S   M   U   E   B   L   E   S   L   E   J   O   S
O   L   B   O   A   E   S   P   E   J   O   E   C
F   O   T   E   L   É   F   O   N   O   C   S   E
Á   S   O   N   C   A   R   T   E   L   A   T   R
S   I   L   L   Ó   N   N   I   T   O   M   Á   C
S   A   L   A   N   A   L   M   O   H   A   D   A
```

La palabra secreta: _____

¡Hablemos!   Nombre _____

A. Señora Ramos has the flu. Your family is pitching in to make dinner. Write the complete sentence according to the picture.

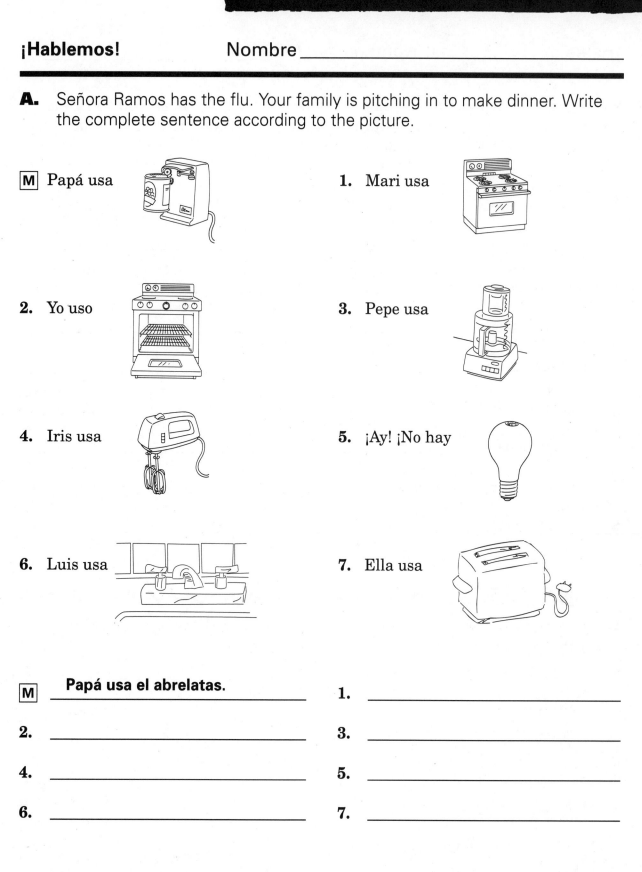

M Papá usa

1. Mari usa

2. Yo uso

3. Pepe usa

4. Iris usa

5. ¡Ay! ¡No hay

6. Luis usa

7. Ella usa

M **Papá usa el abrelatas.**

1. _____

2. _____

3. _____

4. _____

5. _____

6. _____

7. _____

¡Hablemos!   Nombre _____

B. Margarita loves to make up brain teasers. How quickly can you complete her sentences? Choose a word from the lists to complete each sentence. (There are more words than sentences.)

refrigerador	licuadora	cocina	el gabinete
batidora eléctrica	bombilla	enchufe	la lata
fregadero	abrelatas	√ horno	la caja

M Hace mucho calor en _____**el horno**_____.

1. No hay luz porque no hay _____.

2. Abro las latas con _____.

3. Para usar la batidora, también uso _____.

4. Hace mucho frío en _____.

5. Uso el horno de microondas en _____.

6. Hay cuatro cajas en _____.

THINK FAST! ᗡᐯᐯᐯᐯᐯᐯᐯᐯᐯᐯᐯᐯᐯ

What items go together? Draw a line from the picture in the first column to the object that goes with it.

¡Hablemos!   Nombre _____

C. Do you do much cooking? What do you like to use in the kitchen? Answer the questions.

1. ¿Cuál te gusta usar, el lavaplatos o el fregadero?

_____

2. ¿Cuál te gusta usar, el horno o el horno de microondas?

_____

3. ¿Cuál te gusta usar, la licuadora o la batidora eléctrica?

_____

4. ¿Cuál te gusta usar, la estufa o el horno?

_____

5. ¿Cuál te gusta usar, el gabinete o el cajón?

_____

D. What colors are in your kitchen? Describe five objects in your kitchen.

[M] **El horno es amarillo.** _____

1. _____

2. _____

3. _____

4. _____

5. _____

¿Cómo lo dices?   Nombre _____

A. You are taking a survey to find out how many of your neighbors cook well. What questions do you ask? How do they answer you? Use the right form of **cocinar** to complete the question and the answer.

M.

P: Sr. López, ¿usted

_____cocina_____ bien?

R: Sí, yo _____cocino_____ muy bien.

1.

P: Luis y Ana, ¿ustedes

_____ bien?

R: No, nosotros no _____
muy bien.

2.

P: Sra. López, ¿José _____
bien?

R: No, él no _____ bien.

3.

P: Inés y Rita, ¿ustedes

_____ bien?

R: Sí nosotras _____ muy
bien.

¿Cómo lo dices?   Nombre _____

B. You are amazed to find out what else your neighbors can do. Answer the question according to the picture.

M

P: ¡Enrique! ¿Cantas mucho?

R: **Sí, yo canto mucho.** _____

1.

P: ¡Ema y Elsa! ¿Bailan mucho?

R: _____

2.

P: ¡Sra. Parra! ¿Estudia mucho José?

R: _____

3.

P: ¡Don Alberto y don Alfredo! ¿Patinan mucho?

R: _____

4.

P: ¡Marcos y Toño!   ¿Nadan mucho?

R: _____

¿Cómo lo dices?   Nombre _____

C. What do you and your friends do? Answer the question in your own words.

M ¿Miras mucho la televisión?

No, no miro mucho la televisión.

1. ¿Miran mucho la televisión tus amigos?

   _____

2. ¿Bailan mucho tus amigos y tú?

   _____

3. ¿Tus amigos y tú usan mucho las computadoras?

   _____

4. ¿Practicas mucho los deportes?

   _____

5. ¿Tus amigos y tú practican mucho los deportes?

   _____

6. ¿Estudian mucho tus amigos y tú?

   _____

THINK FAST! ∿∿∿∿∿∿∿∿∿∿∿

What is your opinion?

¿Quiénes cocinan muy bien, los hombres o las mujeres?

_____

¿Cómo lo dices?   Nombre _____

D. Estela is handing out plates of cheese, crackers, and apples to her friends. How much do they tell her they are going to eat? Underline the right sentence according to the picture.

M  ¿Diego?

a. <u>Como mucho.</u>

b. Come mucho.

c. Comen mucho.

1.  ¿Ustedes?

a. Comes poco.

b. Come poco.

c. Comemos poco.

2.  ¿Iris y Jorge?

a. Come poco.

b. Comemos poco.

c. Comen poco.

3.  ¿Sra. Ortiz?

a. Comemos mucho.

b. Como mucho.

c. Comen mucho.

4. ¿Margarita?

a. Comes poco.

b. Comen poco.

c. Como poco.

5.  ¿Berta y Luis?

a. Comemos mucho.

b. Comes mucho.

c. Comen mucho.

¿Cómo lo dices? Nombre _____

E. Whenever your friend Pablo comes to visit, he heads straight for the kitchen. There's so much noise in the kitchen, you ask him what's going on. Answer the question according to the picture.

M ¿Quién come?

Ellas comen.
_____

1. ¿Quién corre?

_____

2. ¿Quién bebe?

_____

3. ¿Quién aprende a comer?

_____

4. ¿Quién lee?

_____

5. ¿Quién come?

_____

¿Cómo lo dices?   Nombre _____

F.   Where do you and your friends do different activities? Write the answer in your own words.

M ¿Dónde lees en la escuela, en la biblioteca o en el salón de clase?

A veces leo en la biblioteca. [Siempre leo en el salón de clase.]

1.   ¿Dónde lees en tu casa o tu apartamento, en la sala, en el patio o en tu

dormitorio?

_____

2.   ¿Dónde leen tus amigos, en la escuela, en la casa o en la biblioteca?

_____

3.   ¿Dónde comen tus amigos y tú, en el comedor, en la sala o en la cocina?

_____

4.   ¿Dónde aprendes más, dentro de la escuela o fuera de la escuela?

_____

5.   ¿Dónde aprenden mucho tus amigos, en la escuela, en el cine o en la casa?

_____

THINK FAST! ∿∿∿∿∿∿∿∿∿∿∿∿∿∿∿∿

What are you and your classmates learning now? Unscramble the secret message.

deprenmosa   le   pañoles   ahoar

_____

_____

G. Sometimes you must do certain activities before you can do others. Complete the sentence using the right form of the word in parentheses.

M Primero, _____abrimos_____ el libro; luego, leemos el libro.
         (abrir)

1. Primero, uso el enchufe; luego, _____ las latas.
                                         (abrir)

2. Primero, la profesora _____ la pregunta; luego, nosotros
                              (escribir)

   _____ la respuesta.
        (escribir)

3. Primero, ustedes _____ la carta; luego, _____ y
                         (recibir)   (abrir)

   leen la carta.

4. Primero, el director _____ las puertas; luego, nosotros vamos a
                              (abrir)

   las clases.

5. Primero, ellos aprenden a cocinar; luego, _____ las cajas
                                                    (abrir)

   de cereal.

¿Cómo lo dices?　　　　Nombre _____

H. Imagine that you have taken a trip in a time machine. The people you encounter are very curious about the drawings you have brought with you. Write a sentence according to the picture, using the word in parentheses.

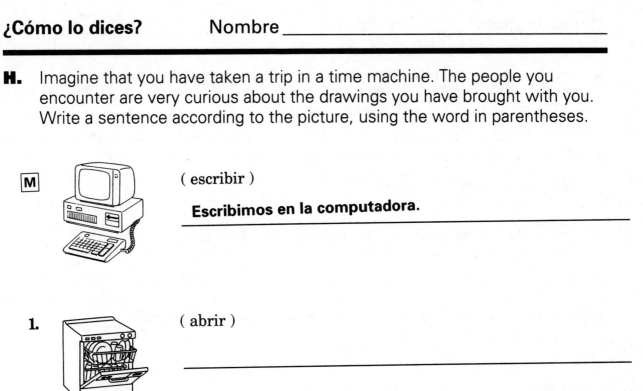

M　　　(escribir)

Escribimos en la computadora. _____

1.　　　(abrir)

_____

2.　　　(abrir)

_____

3.　　　(vivir)

_____

4.　　　(recibir)

_____

UNIDAD 6

¿Cómo lo dices?   Nombre _____

I. What do you do in different situations? Write a complete sentence to answer the question.

M Hace mucho calor en tu dormitorio. ¿Qué haces?

  Abro la ventana.
  _____

1. Hay un lápiz y un cuaderno en tu pupitre. ¿Qué haces?

  _____

2. Tu amigo tiene tus libros. Tú vas a leer los libros. ¿Qué haces?

  _____

3. Tu familia va a ir al cine. Todos están dentro del garaje. ¿Qué haces cerca de la puerta?

  _____

4. Hay una lata en la mesa. Tú vas a cocinar. ¿Qué haces?

  _____

THiNK FAST! ∿∿∿∿∿∿∿∿∿∿∿∿

Circle the word in each line that does not belong.

1. libros   cartas   vivir   leer

2. abrir   escribir   puerta   ventana

3. casa   vivir   apartamento   comer

4. vivir   comprender   lección   preguntas

¿Cómo lo dices?   Nombre _____

¡APRENDE MÁS!

A word that is made up of two words is called a **compound word**. In this unit, you have learned the compound word **el abrelatas** (literally, "opens cans").

Sometimes, if you know or if you can guess one part of a compound word, you can guess the meaning of the whole word. Look at the list of compound words and the list of literal meanings. Then look at the pictures. First, draw a line from the compound word to its literal meaning in English. Then, draw a line from the literal meaning to the picture. One has been done for you.

Compound Word	**Literal Meaning**
el sacapuntas	"before eyes"
los anteojos	"turns to the sun"
el paraguas	"gets points"
el girasol	"stop waters"

Nombre _____

La página de diversiones

Escribe tus propias historietas

Write your own comics! What is the person in each drawing saying? Write a sentence according to the picture.

Un poema

Read and learn this poem.

> Uno, dos, tres, cho -
>
> Uno, dos, tres, co -
>
> Uno, dos, tres, la -
>
> Uno, dos, tres, te.
>
> Chocolate, chocolate.
>
> Bate, bate el chocolate.

Unidades 4–6   Nombre _____

A. Let's look in on your friend Arturo's birthday party. Where is everyone?
Answer the questions according to the picture.

M ¿Quién está cerca de la lámpara?

  Paula está cerca de la lámpara.

1. ¿Quién está fuera de la casa?

   _____

2. ¿Quién está detrás del sofá?

   _____

3. ¿Quién está delante de la ventana?

   _____

4. ¿Quién está detrás del sillón?

   _____

5. ¿Quién está cerca del retrato?

   _____

Unidades 4–6   Nombre _____

B. Enriqueta is writing a letter to her pen pal. Help her finish the letter. Choose a word from the lists to complete each sentence.

lámparas	estudias	muebles
estoy	✓ casa	estudiamos
sillones	comemos	fuera

¡Hola!

Mi _____casa_____ tiene diez cuartos. Hay muchos

_____ en la sala. Tenemos el televisor, la

videocasetera, el sofá, el estante y dos _____ .

A veces mi hermano y yo _____ en el despacho

de mi papá. Hay dos escritorios y dos _____ con

bombillas grandes. ¿Dónde _____ tú?

Mi familia y yo siempre _____ en la cocina.

No hay comedor. En el verano, siempre _____ en el

patio de la casa. Me gusta mucho estar _____ de la

casa. ¿Por qué no me escribes?

Tu amiga,

Enriqueta

Unidades 4–6   Nombre _____

C. You are spending the day with the Solano family. What is everyone doing?
Write a sentence describing what's happening in each picture.

M ¿El papá?	**1.** ¿Jorge?

Él abre la puerta.
_____

_____

2. ¿Rita y su mamá?   **3.** ¿Ana, Luis y Raúl?

_____   _____

4. ¿Los tíos y su hija?   **5.** ¿Los primos?

_____   _____

D.   Alejandro has made up a rebus story for you to read. Write the labels in the blanks according to the pictures.

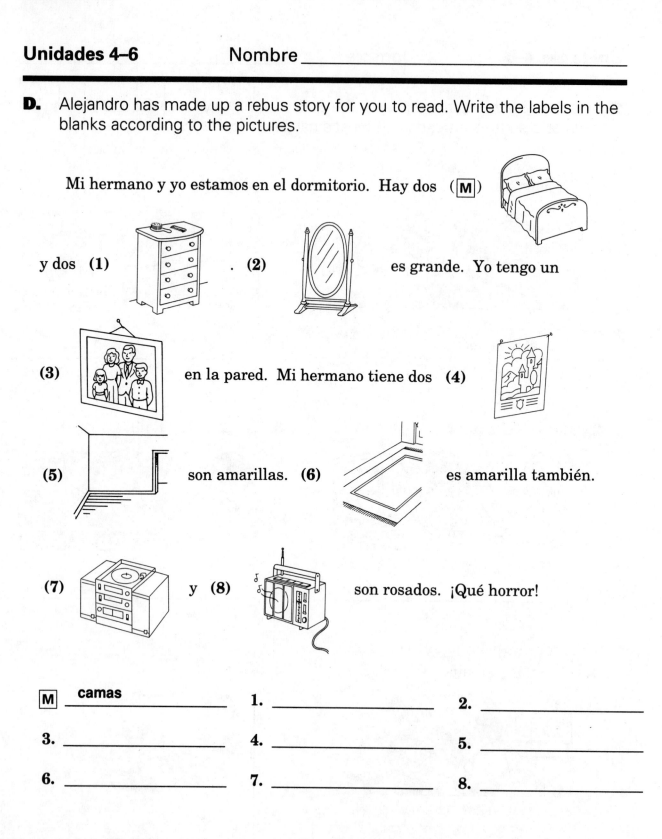

Mi hermano y yo estamos en el dormitorio. Hay dos   (M)

y dos **(1)**   . **(2)**   es grande. Yo tengo un

(3)   en la pared. Mi hermano tiene dos **(4)**

(5)   son amarillas. **(6)**   es amarilla también.

(7)   y **(8)**   son rosados. ¡Qué horror!

M camas _____	1. _____	2. _____
3. _____	4. _____	5. _____
6. _____	7. _____	8. _____

REPASO

E.   What do you and your classmates always, sometimes, or never do? Write an answer to each question, using **siempre, a veces,** or **nunca**.

M   ¿Comen en el techo de la escuela?

Nunca comemos en el techo de la escuela.

1. ¿Estudian fuera de la escuela?

2. ¿Comprenden las lecciones en la clase de ciencias?

3. ¿Viven en un jardín?

4. ¿Reciben cartas en la chimenea?

5. ¿Cocinan en la cocina de la escuela?

6. ¿Leen sus libros en el gimnasio?

7. ¿Comen en el sótano de la casa?

8. ¿Miran la televisión los sábados?

Unidades 4–6   Nombre _____

F. What is your favorite room at home? Draw a picture of your favorite room and then describe it by writing at least five sentences.

_____

_____

_____

_____

_____

_____

_____

¡Hablemos!   Nombre _____

A. Nora and Natán are twins. They do everything together — even their chores! What are they doing this week? How do they answer your questions? Write a sentence for each question you ask.

lunes	martes	miércoles	jueves	viernes	sábado	domingo
barrer el piso	sacar la basura	pasar la aspiradora	quitar el polvo	lavar y secar la ropa	limpiar el piso	planchar la ropa

M ¿Cuándo quitan el polvo?

Quitamos el polvo el jueves.
_____

1. ¿Cuándo sacan la basura?

_____

2. ¿Cuándo limpian el piso?

_____

3. ¿Cuándo barren el piso?

_____

4. ¿Cuándo pasan la aspiradora?

_____

5. ¿Cuándo lavan y secan la ropa?

_____

6. ¿Cuándo planchan la ropa?

_____

¡Hablemos!   Nombre_____

B. Claudia has never done a chore in her life! When she offers to help you clean up, she doesn't know what anything is. Answer the question **¿Qué es esto?**

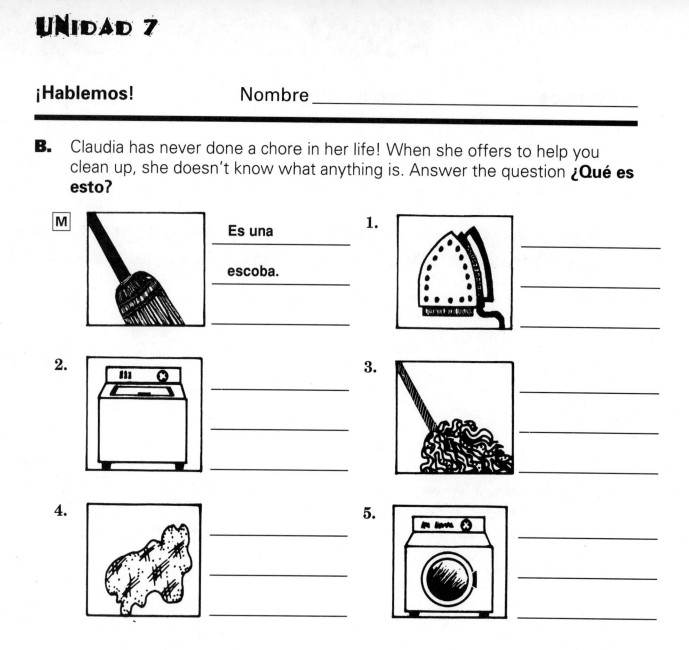

M   Es una _____

escoba. _____

1. _____

2. _____

3. _____

4. _____

5. _____

THINK FAST!

How quickly can you name the items?

1. Name four items that run on electricity.

_____

2. Name three items that work only with "muscle power."

_____

UNIDAD 7

Nombre _____

C. Your Tía Loreta is trying to be polite when she comes for a visit. What questions does she ask? Complete each question.

M El estante tiene mucho polvo. ¿Vas a **quitar el polvo** _____ ?

1. Tu ropa no está en el ropero. ¿Vas a _____ ?

2. El patio está muy sucio. ¿Vas a _____ ?

3. El piso de la cocina está sucio también. ¿Vas a _____ ?

4. Hay mucha basura en el despacho. ¿Vas a _____ ?

5. Tus vestidos están sucios. ¿Vas a _____ ?

6. Hay libros y muchos papeles en la alfombra. ¿Vas a _____ ?

D. You've decided to accept Tía Loreta's offer to help you clean your house. Answer her questions, so she can help you.

1. ¿Con qué vas a limpiar el piso del baño?

_____

2. ¿Con qué vas a quitar el polvo del equipo de sonido?

_____

3. ¿Con qué vas a limpiar la alfombra de la sala?

_____

4. ¿Con qué vas a barrer el sótano?

_____

¿Cómo lo dices?   Nombre _____

A. You are trying to find out who can go to the movies this afternoon. How do people answer your questions? Underline the right answer.

M Eva, ¿vas al cine?

  a. No. Tenemos que planchar.

  b. No. Tengo que planchar.

  c. No. Tienes que planchar.

1. Adán y José, ¿van al cine?

  a. No. Tienen que colgar la ropa.

  b. No. Tengo que colgar la ropa.

  c. No. Tenemos que colgar la ropa.

2. Fernando, ¿vas al cine?

  a. No. Tengo que estudiar.

  b. No. Tiene que estudiar.

  c. No. Tenemos que estudiar.

3. Mamá y papá, ¿van al cine?

  a. No. Tengo que pintar la casa.

  b. No. Tenemos que pintar la casa.

  c. No. Tienen que pintar la casa.

4. Lupe y María, ¿van al cine?

  a. No. Tengo que barrer el piso.

  b. No. Tenemos que barrer el piso.

  c. No. Tienes que barrer el piso.

5. Sra. Flores, ¿va usted al cine?

  a. No. Tienes que lavar la ropa.

  b. No. Tiene que lavar la ropa.

  c. No. Tengo que lavar la ropa.

6. Ana y Paco, ¿van al cine?

  a. No. Tengo que comer.

  b. No. Tienen que comer.

  c. No. Tenemos que comer.

UNIDAD 7

B. It's a busy week for your neighbors, the Velázquez family. Everyone has chores to do! Write a sentence according to the calendar.

lunes	martes	miércoles	jueves	viernes	sábado	domingo
Papá— lavar y secar la ropa	Mamá— quitar el polvo y pasar la aspiradora	Yo— recoger las cosas y colgar la ropa	Luisa— barrer el piso	Carlitos— regar las plantas	Toda la familia— limpiar la casa	Luisa y yo— ir a la fiesta de Diego

M Es jueves. **Luisa tiene que barrer el piso.** _____

1. Es lunes. _____

_____

2. Es viernes. _____

_____

3. Es martes. _____

_____

4. Es sábado. _____

_____

5. Es miércoles. _____

_____

6. Es domingo. _____

_____

UNIDAD 7

C. Imagine that you are a reporter. You are taking a survey of five students to find out what chores they have to do. First, ask your questions and record the names of the people who answer **sí**. Then write a summary of your findings.

M   **P:** María, ¿tienes que colgar la ropa?   **R:** Sí.

colgar la ropa ___**María**_____

1. sacar la basura _____

2. recoger las cosas _____

3. colgar la ropa _____

4. regar las plantas _____

5. planchar la ropa _____

Ejemplo: Cuatro alumnos tienen que sacar la basura. Tres alumnos tienen que recoger las cosas. Cinco alumnos tienen que colgar la ropa.

_____

_____

_____

_____

_____

_____

UNIDAD 7

Nombre _____

D.   Your brother wants to know if your family is going to watch television. (He wants to take a nap in peace and quiet!) Answer the questions, using the words in parentheses.

M   Hugo, ¿vas a mirar la televisión? (escribir una carta)

Sí, acabo de escribir una carta.

_____

1.   Rolando y Bernardo, ¿van a mirar la televisión? (limpiar el garaje)

_____

2.   Rebeca, ¿vas a mirar la televisión? (lavar la ropa)

_____

3.   Bernardo, ¿va a mirar la televisión mamá? (sacar la basura)

_____

4.   Anita, ¿tus amigas y tú van a mirar la televisión? (estudiar)

_____

5.   Patricia, ¿van a mirar la televisión los abuelos? (regar las plantas)

_____

6.   Pati, ¿vas a mirar la televisión? (pasar la aspiradora)

_____

E. Sra. Armendáriz wants to know if all the Saturday chores have been done.
Complete the conversation, using the right form of **acabar de**.

MAMÁ: Manuel, ¿ _____ **acabas de** _____ recoger los libros?

HIJO: Sí, mamá. _____ recoger los libros. Ahora
están en los estantes.

MAMÁ: Elsa y Ema, ¿ _____ planchar la ropa?

HIJAS: Sí, mamá. _____ planchar toda la ropa.

También _____ colgar la ropa en los roperos.

MAMÁ: Jorge, ¿tu hermana y tú _____ pasar la
aspiradora?

HIJO: ¡Claro que sí! _____ pasar la aspiradora y
quitar el polvo.

MAMÁ: ¡Maravilloso! Ahora tenemos que pintar la casa, barrer el patio,
recoger las cosas en el sótano y . . .

HIJOS: ¡Ay, caramba! ¡Adiós, mamá!

UNIDAD 7

F. Record the Saturday activities in your home. Include the times you and your family have to do certain tasks and the times you finish them. Write a sentence with **tener que** and a sentence with **acabar de**.

M

8:30 A.M.   **Mi hermano y yo tenemos que comer.**

8:45 A.M.   **Acabamos de comer.**

1. _____

   _____

2. _____

   _____

3. _____

   _____

4. _____

   _____

5. _____

   _____

UNIDAD 7

G.   It's Saturday afternoon. Paco and Felipe just got home. They ask their father if they have to do any chores. What does he say? Write their questions, as well as their father's answers. Use the words given and the correct forms of **tener que** and **acabar de**. Follow the model.

M   Paco y Felipe / limpiar la cocina   **¿Tenemos que limpiar la cocina?**

No (Papá)   **No, yo acabo de limpiar la cocina.**

1.   Felipe / barrer el piso del baño   _____

Sí   _____

2.   Paco y Felipe / lavar la ropa   _____

No (Mamá)   _____

3.   Paco y Felipe / regar las plantas   _____

No (Ana y Hernán)   _____

4.   Paco / sacar la basura   _____

Sí   _____

THiNK FAST! 〜〜〜〜〜〜〜〜〜〜〜〜

What activities do you do with certain objects or with certain people? Choose four activities from the list and write sentences. Use the word **con**.

caminar a la escuela	escribir una carta	ir al cine
barrer el piso	lavar la ropa	comer el chocolate
abrir una lata	correr a la tienda	lavar los platos

1.   _____

2.   _____

3.   _____

4.   _____

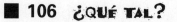

Nombre _____

▚▜▛▞ EXPRESA TUS IDEAS ▟▚▞▙ ➤

The Explorers' Club members have to get ready for their "Open House." No one will want to join the club if the meeting place looks like a rat's nest! Write a conversation among the club members.

SRTA. AVENTURA: _____

PEPE: _____

JOSÉ: _____

BERTA: _____

PACO: _____

RITA: _____

ANA: _____

LUIS: _____

Nombre _____

La Página de diversiones

Un crucigrama de quehaceres

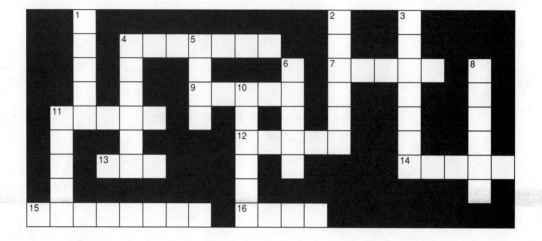

Horizontales

4. Voy a ——— el piso con el trapeador.
7. ¿Vas a ——— las plantas?
9. Mi cuarto está muy ——— .
11. ¿Usas un ——— para quitar el polvo?
12. ¿Cuándo tienes que ——— la ropa sucia?
13. Voy al cine ——— mis amigos.
14. Yo ——— de sacar la basura.
15. ——— tenemos que caminar lejos.
16. Plancho la ——— los sábados.

Verticales

1. Voy a lavar y ——— la ropa.
2. Tengo que ——— el patio.
3. Uso la ——— para planchar.
4. ¡Por fin! El patio está ——— .
5. Camino en el ——— dentro de la casa.
6. Hay mucho ——— en los muebles.
8. Barremos con una ——— .
10. Acabas de ——— la ropa.
11. Yo ——— que recoger mis cosas.

¡Hablemos!   Nombre _____

A. Three adults and three teenagers will be eating dinner at your house tonight. Answer the question according to the picture.

M   ¿Cuántas hay?

Hay tres tazas.

1.   ¿Cuántas hay?

_____

2.   ¿Cuántos hay?

_____

3.   ¿Cuántos hay?

_____

4.   ¿Cuántos hay?

_____

5.   ¿Cuántos hay?

_____

¡Hablemos!   Nombre _____

B.   Your mom has prepared a big bowl of fruit to go in the center of the dining room table. What a colorful centerpiece! Color the picture and answer the questions.

1. ¿De qué color son las uvas?

   _____

2. ¿De qué color son las manzanas?

   _____

3. ¿De qué color es la piña?

   _____

4. ¿De qué color son las fresas?

   _____

5. ¿De qué color son las naranjas?

   _____

6. ¿De qué color son las cerezas?

   _____

7. ¿De qué color son las peras?

   _____

8. ¿De qué color son los plátanos?

   _____

UNIDAD 8

C. People like to eat fruit in different ways. Some like to cut their fruit in pieces and eat it with a spoon. Others use their hands. Answer the question, using words from the list below.

| un tenedor | un cuchillo | una cuchara | los dedos |

M ¿Qué usas para comer fresas?

Siempre uso una cuchara.

1. ¿Qué usas para comer piña?

_____

2. ¿Qué usas para comer sandía?

_____

3. ¿Qué usas para comer una naranja?

_____

4. ¿Qué usas para comer cerezas?

_____

5. ¿Qué usas para comer un plátano?

_____

6. ¿Qué usas para comer una manzana?

_____

THINK FAST! 〰〰〰〰〰〰〰〰

Answer this question in ten seconds!

¿Cuál es tu fruta favorita?

_____

¿Cómo lo dices?　　　Nombre _____

A. Your family's carpeting is being steam-cleaned. Everyone is scurrying to put things in other rooms! Complete the sentence, using the correct form of **poner**.

M　Yo _____**pongo**_____ el mantel en la sala.

1. Mamá _____ los platos en el tocador.

2. Los muchachos _____ los vasos en el estante de la sala.

3. Papá y Gerardo _____ las tazas en la cocina.

4. Verónica y yo _____ la mesa en el sótano.

5. Esperanza _____ las servilletas en el sillón.

6. Yo _____ las sillas en el patio.

7. Papá y mamá _____ la alfombra en el jardín.

8. Antonito _____ las cucharas en sus zapatos. ¡Qué muchacho!

UNIDAD 8

B. Until the dining room carpeting dries out, your family will eat on the picnic table in the yard. Who is bringing things to the table? Write a sentence, using **traer** and the words in parentheses.

M ¿Qué traes tú?   (los platillos)

   Yo traigo los platillos.

1. ¿Qué traen los muchachos?   (el mantel y las servilletas)

   _____

2. ¿Qué trae papá?   (una sandía grande)

   _____

3. ¿Qué traen Gerardo y Verónica?   (los vasos y los platos)

   _____

4. ¿Qué traes tú?   (los tenedores y los cuchillos)

   _____

5. ¿Qué traen Esperanza y tú?   (la crema y el azúcar)

   _____

6. ¿Qué trae Antonito?   (una almohada grande)

   _____

C. Each night this week your family will have guests for dinner. You and your friends help set the table. Complete the first sentence, using a form of **poner**. Complete the second sentence with a form of **traer**.

M Seis personas van a comer.

    a. Yo _____**pongo**_____ dos tazas en la mesa.

    b. María _____**trae**_____ cuatro tazas más.

1. Quince personas van a comer.

    a. Armando _____ una cuchara en la mesa.

    b. Yo _____ catorce cucharas más.

2. Diez personas van a comer.

    a. Tú _____ tres vasos en la mesa.

    b. Raquel _____ siete vasos más.

3. Veinte personas van a comer.

    a. Eduardo _____ ocho platos en la mesa.

    b. Nosotros _____ doce platos más.

4. Dieciocho personas van a comer.

    a. Mari y Rita _____ nueve platillos en la mesa.

    b. Raúl y Marcos _____ nueve platillos más.

¿Cómo lo dices?   Nombre _____

D. Imagine that you are babysitting the liveliest group of children in the world! It's hard to keep track of them. Answer the question according to the picture.

M ¿Dónde están Ignacio y David?

Están debajo de la cama.
_____

1. ¿Dónde está Guillermo?

_____

2. ¿Dónde están Teri y Josefa?

_____

3. ¿Dónde están Óscar y Lionel?

_____

4. ¿Dónde está Angelina?

_____

¿Cómo lo dices?   Nombre _____

E.   Sra. Álvarez is taking a survey of her students. How do you answer her questions?

M   ¿Dónde pones tus libros, debajo de tu pupitre o sobre tu pupitre?

Pongo mis libros debajo de mi pupitre.

1.   ¿Dónde pones tu ropa sucia, debajo de tu cama o sobre tu tocador?

_____

2.   ¿Dónde pones tus cuadernos y tus lápices, sobre tu pupitre o debajo de tu pupitre?

_____

3.   ¿Dónde pones un plato sucio, debajo del sofá o sobre la mesa en la cocina?

_____

4.   ¿Dónde pones tu ropa limpia, sobre la cama o sobre el tocador?

_____

THINK FAST! 〰〰〰〰〰〰〰〰〰〰〰〰

How quickly can you answer this question?

¿Qué hay debajo de tu cama?

_____

¿Cómo lo dices?   Nombre _____

F. Your friend Ignacio is the messiest person on the face of the earth! When guests come to visit, he puts away his clothes and belongings in secret places (such as underneath his bed or on top of his very tall bookcase). Draw a picture of how you imagine Ignacio's secret hiding places look. Write at least six sentences about your picture.

_____

_____

_____

_____

_____

_____

_____

_____

Vamos a leer   Nombre _____

If you go to a supermarket in a Spanish-speaking country, you are likely to see signs in the produce section. Use your knowledge of signs and grocery stores to read and understand the signs below.

1. What is the name of the store?

    _____

2. Which fruit is on sale? How can you tell?

    _____

3. How long will the sale last?

    _____

4. What does **kg** refer to — the initials of the store manager, weight, or the name of the country's currency?

    _____

¿Cómo lo dices?   Nombre _____

Words in Spanish sometimes can have both a feminine form and a masculine form. Each form has its own meaning. With certain fruits, for example, one form stands for the fruit itself and the other form stands for the bush or tree on which the fruit grows. Also, by adding the letter **l** (**ele**) to the feminine form of the word, you can create a masculine word that stands for the area or land on which many of the trees or plants are grown. Look at the following example:

la cereza	el cerezo	el cerezal

The first word is feminine and it stands for the fruit you eat. The second word is masculine and it stands for the tree on which the fruit grows. The third word is masculine, too. It stands for the land, or orchard, in which many of the fruit trees grow.

Now examine the following examples. Then read the sentences below them. Circle the word **cierto** if the sentence is possible, and circle the word **falso** if the sentence is not possible.

la manzana	el manzano	el manzanal
la guayaba	el guayabo	el guayabal
la naranja	el naranjo	el naranjal

1. Como muchos naranjos en el invierno.   cierto   falso

2. Hay un cerezo cerca de mi casa.   cierto   falso

3. Hay muchos manzanales en Michigan.   cierto   falso

4. A veces pongo los manzanos en la mesa.   cierto   falso

5. Me gusta caminar en el guayabal.   cierto   falso

La página de diversiones

La familia frutera

Test your artistic talent! What would the following cartoon characters be like? Draw the characters to match their names.

Señor Lucas Limón

Señorita Patricia Pera

Samuel Sandía

Nora Naranja

¡Hablemos!   Nombre _____

A.   Imagine that you are doing the grocery shopping. What is on the list? Draw
a line from the word to the right picture. (There are more pictures than
words.)

Tienes que comprar:

la mermelada

la avena

el té

una toronja

la leche

la margarina

¡Hablemos!   Nombre _____

B. You like to eat breakfast in restaurants. The waitress at your favorite restaurant always gives you two choices. What will you eat today? Answer the question according to the picture.

M ¿Qué vas a tomar, huevos fritos o huevos revueltos?

Voy a tomar huevos fritos.

1. ¿Qué vas a tomar, jugo de naranja o leche?

_____

2. ¿Qué vas a tomar, avena o cereal?

_____

3. ¿Qué vas a tomar, café o chocolate?

_____

4. ¿Qué vas a tomar, una toronja o pan tostado?

_____

¡Hablemos!   Nombre _____

C. What do you like to put on food you eat for breakfast? Design your own breakfast! Answer the question, using a word from the lists.

sal	pimienta	leche
azúcar	crema	margarina
	mermelada	

[M] ¿Cómo tomas la toronja?

Tomo la toronja con azúcar. _____

1. ¿Cómo tomas los huevos pasados por agua?

_____

2. ¿Cómo tomas la avena?

_____

3. ¿Cómo tomas el cereal?

_____

4. ¿Cómo tomas el pan tostado?

_____

5. ¿Cómo tomas los huevos revueltos?

_____

¿Cómo lo dices?   Nombre _____

A. Andrés has offered to fix breakfast for his family. What do people tell him that they want? Complete the sentence according to the picture, using the correct form of **querer**.

| M | (Elena y Abuelito) | **Queremos** _____ cereal, por favor. |

1. (Tío Julio)   _____ huevos revueltos, por favor.

2. (Ernesto)   _____ leche, por favor.

3. (Mamá y Papá)   _____ café, por favor.

4. (Rogelio y Laura)   _____ pan tostado, por favor.

5. (Abuelita)   _____ una toronja, por favor.

UNIDAD 9

Nombre _____

B. You are helping Andrés by taking his family's breakfast orders. Look at the picture on page 124. Write a sentence about the people shown in parentheses.

M̲ (Mamá y Papá) _____ **Ellos quieren café.** _____

1. (Elena y Abuelito) _____

2. (Tío Julio) _____

3. (Rogelio y Laura) _____

4. (Abuelita) _____

5. (Ernesto) _____

C. What do you want to eat in the morning? Write at least three sentences about breakfast. A sample has been done for you.

El desayuno de Sara

A veces quiero huevos fritos para el desayuno. Siempre quiero jugo de naranja y un vaso de leche. También quiero pan tostado con margarina y mermelada. Nunca quiero café.

_____

_____

_____

_____

_____

¿Cómo lo dices?   Nombre _____

D.   What do you and your friends usually want to do on the weekends? Answer
the questions in your own words.

M   ¿Qué quieres hacer el sábado, caminar o bailar?

El sábado quiero caminar.

_____

1.   ¿Qué quieren hacer tus amigos y tú, leer o mirar la televisión?

_____

2.   ¿Qué quieres hacer el domingo, estudiar o practicar los deportes?

_____

3.   ¿Qué quieren hacer tus amigos, estudiar o ir al cine?

_____

4.   ¿Qué quieren hacer tus amigos y tú, pintar o escribir cartas?

_____

5.   ¿Qué quieres hacer, lavar los platos o cocinar?

_____

6.   ¿Qué quieren hacer tus amigos, recoger las cosas o poner la mesa?

_____

THINK FAST! ∿∿∿∿∿∿∿∿∿∿∿∿∿

Hortensia is not doing well in school. Unscramble her statement to find out why.

¡canun   roquie   diarestu   ne   saca !

_____

¿Cómo lo dices?   Nombre _____

E. You are visiting María's school. Who is friends with whom? Answer each question according to the picture, using **mi, mis, su,** or **sus**.

M María, ¿quién es tu amiga?

Inés es mi amiga. _____

1. María, ¿quién es el amigo de Manuel?

_____

2. María, ¿quién es el amigo de Ana y Rosa?

_____

3. María, ¿quién es la amiga de Julio y Beto?

_____

4. María, ¿quiénes son los amigos de Juan?

_____

5. María, ¿quiénes son tus amigas?

_____

¿Cómo lo dices?   Nombre _____

F. Celia's baseball team, Los leones, and Chucho's baseball team, Los tigres, sponsored a potluck breakfast. Each team brought lots of tableware items, some new and some old. Now they have to sort them out. Read each list, so you can help them answer the questions.

Celia **Los leones**	Chucho **Los tigres**
manteles nuevos	manteles viejos
tenedores viejos	tenedores nuevos
tazas viejas	tazas nuevas
platos nuevos	platos viejos
vasos nuevos	vasos viejos
cucharas viejas	cucharas nuevas

M Celia, ¿son nuevos sus manteles?

Sí, nuestros manteles son nuevos.

_____

1. Chucho, ¿son nuevos sus platos?

_____

2. Celia, ¿son viejos sus tenedores?

_____

3. Chucho, ¿son nuevas sus tazas?

_____

4. Celia, ¿son viejos sus vasos?

_____

5. Chucho, ¿son nuevos sus vasos?

_____

6. Celia, ¿son viejas sus cucharas?

_____

Nombre _____

◤◤◤ EXPRESA TUS IDEAS ◢◢◣

The Explorers' Club is going on a field trip. Before the members leave, they stop for breakfast at señorita Aventura's house. Write at least eight sentences about the picture.

_____

_____

_____

_____

_____

_____

_____

_____

Nombre _____

La Página de diversiones

Un deseo secreto

First, complete the missing word or words from each sentence. Then use the numbers to discover the secret wish.

1. A mí me gustan los huevos $\underline{}$ $\underline{}$ $\underline{}$ $\underline{}$ $\underline{}$ $\underline{}$ $\underline{}$ $\underline{}$ $\underline{}$.
 1 2 3 4 5 6 7 8 9

2. $\underline{}$ $\underline{}$ $\underline{}$ $\underline{}$ $\underline{}$ $\underline{}$ $\underline{}$ $\underline{}$ vasos son verdes; sus vasos son rojos.
 10 11 12 13 14 15 16 17

3. $\underline{}$ $\underline{}$ quiero $\underline{}$ $\underline{}$ $\underline{}$ $\underline{}$ $\underline{}$ $\underline{}$ $\underline{}$ $\underline{}$ $\underline{}$ de fresas.
 18 19 20 21 22 23 24 25 26 27 28

4. ¿Tú no $\underline{}$ $\underline{}$ $\underline{}$ $\underline{}$ $\underline{}$ $\underline{}$ $\underline{}$ más $\underline{}$ $\underline{}$ $\underline{}$ $\underline{}$ $\underline{}$ $\underline{}$ con
 29 30 31 32 33 34 35 36 37 38 39 40 41

leche y azúcar?

5. ¿ $\underline{}$ $\underline{}$ $\underline{}$ $\underline{}$ $\underline{}$ vas a poner los huevos $\underline{}$ $\underline{}$ $\underline{}$ $\underline{}$ $\underline{}$ $\underline{}$?
 42 43 44 45 46 47 48 49 50 51 52

El deseo secreto:

¡ $\underline{}$ $\underline{}$ $\underline{}$ $\underline{}$ $\underline{}$ $\underline{}$ $\underline{}$ $\underline{}$ $\underline{}$ $\underline{}$ $\underline{}$ $\underline{}$ $\underline{}$
 29 4 49 12 38 19 7 16 23 28 1 5 41

$\underline{}$ $\underline{}$ $\underline{}$ $\underline{}$ $\underline{}$ $\underline{}$ $\underline{}$ $\underline{}$!
 27 39 52 26 18 30 10 51

Unidades 7–9 Nombre _____

A. Every Saturday, your mother leaves you and your brother a list of chores to do. Occasionally, you lose track of time. Write sentences according to the list, using **tener que**.

	9:15 lavar la ropa
	10:30 sacar la basura
⃝	11:00 recoger las cosas en sus dormitorios
	1:15 escribir cartas a sus primos
	2:30 pasar la aspiradora por la sala

[M] ¡Son las nueve y cuarto! __Tenemos que lavar la ropa._____

1. ¡Son las diez y media! _____

2. ¡Son las once! _____

3. ¡Es la una y cuarto! _____

4. ¡Son las dos y media! _____

B. Your mother asks you often during the day how you're doing with your chores. What do you tell her? Write a sentence, using the words in parentheses and **acabar de**.

[M] (lavar la ropa) __Acabo de lavar la ropa._____

1. (sacar la basura) _____

2. (recoger las cosas) _____

3. (escribir una carta) _____

4. (pasar la aspiradora) _____

C. Darío is trying to check off names on his list of people who are bringing food to the picnic. Unfortunately, he can't read his own writing! Answer each question according to the picture.

M   Rosa, tú traes las uvas, ¿verdad?

No, Darío. Traigo la sandía.

_____

1. Julio y Ema, ustedes traen las cerezas, ¿verdad?

_____

_____

2. Sara, tú traes las piñas, ¿verdad?

_____

_____

3. Hugo y Tonia, ustedes traen las toronjas, ¿verdad?

_____

_____

4. Adán y Saúl, ustedes traen los plátanos, ¿verdad?

_____

5. Diana, tú traes la piña, ¿verdad?

_____

D. One last check! How do people answer Darío's questions? Answer the questions according to the picture on page 132.

M ¿Quién trae las fresas?   **Sara trae las fresas.** _____

1. ¿Quién trae la piña? _____

2. ¿Quién trae las manzanas? _____

3. ¿Quién trae las naranjas? _____

4. ¿Quién trae la sandía? _____

5. ¿Quién trae los limones? _____

6. ¿Quién trae los plátanos? _____

REPASO

E. It's time to play "Guess the Question!" Will you be champion of the day? After reading the answer (**R**), write the question (**P**).

M P: __¿Quieren Martín y León bailar con las profesoras?__

R: No, Martín y León no quieren bailar con las profesoras.

1. P: _____

R: No, nosotros no queremos estudiar el sábado.

2. P: _____

R: Sí, mamá. Quiero poner la mesa.

3. P: _____

R: No, no queremos tomar el desayuno a las cinco.

4. P: _____

R: ¡Claro que sí! Quiero leer diez libros en una semana.

5. P: _____

R: Sí, cómo no. Quiero comprar muebles nuevos.

THINK FAST! ∿∿∿∿∿∿∿∿∿∿∿∿∿∿∿

Circle the word in each line that does not belong.

1. trapeador   cuchillo   trapo   escoba

2. comer   cocinar   desayunar   barrer

3. manzana   pera   fresa   naranja

F. You are calling your best friend. You have just received a long, long list of chores that you must do this weekend. What will your conversation be like? After reading the following conversation, write what you and your friend say.

YO: ¡Ay, Julia! Acabo de recibir una lista larga de quehaceres. El sábado tengo que lavar, secar y planchar la ropa.

JULIA: ¡Qué lástima! ¿Quieres ir al cine el sábado a las dos y media?

YO: Sí, quiero ir, pero tengo que limpiar el sótano y barrer el piso.

JULIA: ¿Quieres ir al cine el domingo?

YO: Sí, quiero ir, pero tengo que poner todos mis libros viejos en el garaje. ¡Están debajo de mi cama! También tengo que escribir una carta a mi abuelo. Y tengo que pasar la aspiradora por todos los dormitorios.

JULIA: ¡Ay, caramba! ¡Hasta el lunes!

_____

_____

_____

_____

_____

_____

_____

REPASO

G. Sr. Larganariz is visiting your classroom. How do you and your classmates respond to his remarks? Write a response in your own words.

☐M Los jóvenes ponen su ropa sucia en el piso.

No. Ponemos nuestra ropa sucia en la lavadora.
_____

1. Los muchachos ponen los platos sucios debajo del sofá.

_____

2. Las muchachas son débiles. Ellas nunca sacan la basura.

_____

3. Los jóvenes siempre comen con las manos. Nunca usan los tenedores y las cucharas.

_____

4. Los jóvenes siempre quieren chocolate. Nunca toman leche.

_____

5. Los jóvenes nunca lavan su ropa. Sus papás tienen que lavar la ropa.

_____

6. Los jóvenes nunca practican los deportes con sus familias.

_____

¡Hablemos!   Nombre _____

A.   Rogelio had the flu last week, but now he's starting to feel better. His father wants to fix meals that he will enjoy. What does Rogelio want? Answer the question **¿Qué quiere?**

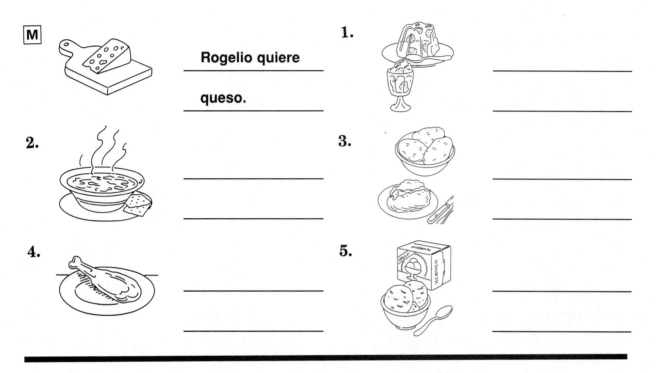

M

Rogelio quiere

queso.

1. _____

2. _____

3. _____

4. _____

5. _____

B.   Now Rogelio's brother has caught the flu. He doesn't want to eat anything. Complete the sentence according to the picture.

M   No quiero _una hamburguesa._ _____

1.   No quiero _____

2.   No quiero _____

3.   No quiero _____

¡Hablemos!   Nombre _____

c. Constancia always wants to be different from you. If you eat a hamburger, she eats soup! Look at the choices of foods and choose a meal for you and a meal for Constancia. Write two separate sentences.

M   **Quiero una hamburguesa y sopa.**
_____

M   **Ella quiere un sándwich y zanahorias.**
_____

1. _____

2. _____

3. _____

4. _____

¡Hablemos!   Nombre _____

D. Most people like to eat certain foods for lunch and other foods for dinner. What do you like to eat for lunch and dinner? Write two lists. Then, write at least one sentence about lunch and one sentence about dinner. Read Rosario's sentences.

Rosario: Para el almuerzo me gusta tomar sopa, un sándwich, papas y una ensalada pequeña. También me gusta la gelatina. Para la cena, me gusta tomar carne, arroz, legumbres, pan y helado de chocolate.

El almuerzo	**La cena**
_____	_____
_____	_____
_____	_____
_____	_____

_____

_____

_____

_____

_____

_____

UNIDAD 10

¿Cómo lo dices?   Nombre _____

A. You want to invite your friends to lunch. But first you want to find out at what time they usually eat. Answer the question according to the clock.

M | 12:15

Virgilio, ¿a qué hora almuerzas todos los días?

Siempre almuerzo a las doce y cuarto.

1. | 1:30

Susana y Mercedes, ¿a qué hora almuerzan todos los días?

_____

2. | 11:45

Alfredo y Mauricio, ¿a qué hora almuerzan todos los días?

_____

3. | 12:30

Sra. Fuentes, ¿a qué hora almuerza usted todos los días?

_____

4. | 11:15

Eugenia, ¿a qué hora almuerzan Eva y Juana todos los días?

_____

5. | 12:00

Lucía, ¿a qué hora almuerzan Julio y tú todos los días?

_____

¿Cómo lo dices?   Nombre _____

B. Jeremías often comes up with some creative excuses when he and his friends don't want to do something. What excuses can you invent? Write a sentence as an excuse for each suggestion.

M ¿Por qué no comen los espaguetis?

No comemos los espaguetis porque nunca probamos comida blanca y larga.

M ¿Por qué no almuerzas temprano?

No almuerzo temprano porque tomo el desayuno muy tarde.

1. ¿Por qué no pueden estudiar a las cuatro?

_____

_____

2. ¿Por qué no pruebas el pescado?

_____

_____

3. ¿Por qué no almuerzan en la escuela?

_____

_____

4. ¿Por qué no puedes lavar los platos?

_____

_____

¿Cómo lo dices?   Nombre _____

C. Vicente hasn't learned yet that he cannot convince his parents of anything by telling them what other people can do. Write the correct forms of **poder** to complete the question and the sentence.

M ¿Por qué no _____**puedo**_____ mirar la televisión?

¡Francisco _____**puede**_____ mirar sus programas favoritos!

1. ¿Por qué no _____ ir al cine?

¡Marta y Agustín _____ ir al cine todos los días!

2. ¿Por qué nosotros no _____ nadar hoy? ¡Hace calor!

¡Alejandro _____ nadar!

3. ¿Por qué nosotros no _____ comer tarde?

¡El Sr. Luna y el Sr. Martirio _____ comer muy tarde!

4. ¿Por qué no _____ llevar mis camisetas viejas?

¡Papá siempre _____ llevar sus camisetas viejas!

5. ¿Por qué nosotros no _____ almorzar en el patio?

¡Corina y Amalia _____ almorzar en sus patios!

¿Cómo lo dices?   Nombre _____

D. Sra. Desastre has created a disaster of a dessert for her dinner guests. She thinks she overheard people say that they do not like it. Of course, the guests are very polite. Complete the conversation, using **me, te, le, nos,** or **les**.

SRA. DESASTRE: Minerva y Manuel, ¿no ____**les**____ gusta el helado de

zanahorias?

MANUEL: Sí, a nosotros _____ gusta el helado. A Roberta

no _____ gusta.

SRA. DESASTRE: Roberta, ¿no _____ gusta el helado de zanahorias?

ROBERTA: ¡Ay! ¡Claro que sí! A mí _____ gusta mucho. A tus hijos

no _____ gusta.

SRA. DESASTRE: ¡Hijos! ¿No _____ gusta el helado?

HIJOS: Bueno, mamá, a nosotros no _____ gusta el helado de

zanahorias. Pero sí _____ gusta la sopa de arroz con

fresas.

¿Cómo lo dices?   Nombre _____

E. Eduardo never knows what gifts to buy for his family and friends. He has decided to make a list of their likes and dislikes. Complete the sentences, using **gusta** or **gustan**.

[M] A mis amigos les _____gustan_____ los deportes, pero no les

_____gusta_____ ir al cine.

1. A Mariela le _____ los perros, pero no le _____ el perro de Leonardo.

2. A mis amigos les _____ las legumbres, pero no les

_____ los guisantes.

3. A mis papás les _____ cantar, pero no les

_____ bailar.

4. A nosotros nos _____ los jugos tropicales, pero no nos

_____ el jugo de piña.

5. A Esteban le _____ caminar y correr, pero no le

_____ practicar los deportes.

¿Cómo lo dices?   Nombre _____

F. What do you and your friends like and dislike? Answer the questions in your own words.

M ¿A ustedes les gustan los deportes?

A mis amigos les gustan los deportes, pero a mí no me gustan.

[Sí, a nosotros nos gustan mucho los deportes.]

1. ¿A ustedes les gustan las legumbres?

_____

_____

2. ¿A ustedes les gusta ir al cine?

_____

_____

3. ¿A ustedes les gustan los programas de televisión?

_____

_____

4. ¿A ustedes les gustan los animales?

_____

_____

5. ¿A ustedes les gusta tomar el desayuno?

_____

_____

G. Imagine that your favorite television stars are going to have dinner at your house! First you must find out what and when they like to eat. Write at least six questions, using **gustar**.

M ¿Les gusta cenar temprano o tarde?
¿Qué les gusta más, el jamón o el pavo?
¿Les gustan a ustedes las legumbres con margarina?

¿Cómo se llaman las personas que quieres invitar?

_____

_____

_____

_____

_____

_____

_____

_____

_____

_____

_____

_____

¿Cómo lo dices? Nombre _____

¡APRENDE MÁS!

Talking about food in Spanish can sometimes get you in a stew! Some countries and regions use their own words for certain food items.

Often you can find these terms in a Spanish-English dictionary.

For example, if you look up the word **bean** in a Spanish-English dictionary, you may find the following selection of words: **la judía, la habichuela, el frijol, el ejote**, and **el poroto**.

Test your dictionary skills! Look up the following words in the English section of two or more Spanish-English dictionaries. How many words in Spanish can you find for each one?

banana: _____

corn: _____

popcorn: _____

peanut: _____

potato: _____

tomato: _____

orange: _____

pepper: _____

What dictionaries did you use? Write the titles below.

_____

_____

_____

Nombre _____

La Página de diversiones

Busca las palabras

First, read the sentences. Then look in the puzzle for each word in a sentence that is in heavy black letters. The words may appear across, down, or diagonally in the puzzle. When you find a word, circle it.

After you have circled the words, you can use the letters that are left over to form a saying (or **dicho**).

1. No hay **espaguetis** con **albóndigas** en el **menú**.

2. No **podemos** comer **sus legumbres**.

3. **Sí, me gusta** el **arroz**.

4. Juan siempre **prueba** los platos con **jamón**.

5. ¿A tus amigos **les** gusta cuando **almuerzas** con ellos?

6. **Nos gustan** las **papas** con **una hamburguesa**.

7. ¿Quieres probar la **sopa** con **carne** y **maíz**?

8. Sr. Millán, ¿cuál es **su jugo** favorito?

```
H  A  L  B  Ó  N  D  I  G  A  S
C  A  R  N  E  L  C  J  U  G  O
L  L  M  O  N  M  E  T  S  I  P
E  M  G  B  G  O  A  S  T  P  A
G  U  U  P  U  A  N  Í  A  J  P
U  E  S  R  A  R  R  O  Z  A  A
M  R  T  U  Y  C  G  E  N  M  S
B  Z  A  E  N  O  S  U  Ú  Ó  B
R  A  N  B  O  L  L  N  E  N  A
E  S  P  A  G  U  E  T  I  S  Í
S  P  O  D  E  M  O  S  U  S  A
```

El dicho: _____

¡Hablemos!   Nombre _____

A. David's routine never changes. He does everything in a specific order. One day his little brother follows him around, asking questions. Answer his questions.

M ¿Qué haces? **Me levanto.** _____ _____	**4.** ¿Qué haces? _____ _____
1. ¿Qué haces? _____ _____	**5.** ¿Qué haces? _____ _____
2. ¿Qué haces? _____ _____	**6.** ¿Qué haces? _____ _____
3. ¿Qué haces? _____ _____	

THINK FAST!

What is the first thing you do every morning?

_____

_____

¡Hablemos!   Nombre _____

B.   Your little sister never wants to go to bed. You have decided to make a
game of it. Every five minutes, you call out the time and your little sister
tells you what she is doing. Write sentences, using the phrases in
parentheses.

[M]   ¡Son las siete en punto! (lavarse la cara)

   Me lavo la cara. _____

1.   ¡Son las siete y cinco! (secarse la cara)

   _____

2.   ¡Son las siete y diez! (cepillarse los dientes)

   _____

3.   ¡Son las siete y cuarto! (quitarse la ropa)

   _____

4.   ¡Son las siete y veinte! (ponerse el pijama)

   _____

5.   ¡Son las siete y veinticinco! (acostarse en la cama)

   _____

6.   ¡Son las siete y media! (levantarse)

   _____ ¡No tengo sueño!

UNIDAD 11

Nombre _____

c. Does your daily routine change? Do some activities always stay the same? Make a list of your regular morning and nighttime activities. Then write sentences about what you always do. Read Lorenzo's sentences.

Lorenzo: Por la mañana, siempre me cepillo los dientes. También me lavo la cara y me pongo la ropa. Siempre tomo el desayuno. Me voy de la casa a las siete y media de la mañana. Por la noche, siempre tengo que volver a la casa a las ocho. Me quito la ropa y me baño. Me pongo el pijama y me acuesto a las diez. (¡Es un secreto! ¡A veces me acuesto a las once y media!)

Por la mañana

_____

_____

_____

_____

Por la noche

_____

_____

_____

_____

_____

_____

_____

_____

_____

¿Cómo lo dices?   Nombre _____

A. Catalina is studying how many times a day people can open and close things around the house. Help her finish her notes. Complete each sentence, using the correct form of **cerrar**.

[M] Primero, abro la puerta y voy al jardín. Luego, _____cierro_____ la puerta.

1. Primero, abrimos los libros y leemos las lecciones. Luego, _____ los libros.

2. Primero, Elena abre el horno y mira el pavo. Luego, _____ el horno.

3. Primero, Juan y Diego abren las ventanas. Luego, tienen frío y

   _____ las ventanas.

4. Primero, abro el buzón y saco las cartas. Luego, _____ el buzón.

5. Primero, abrimos la puerta del refrigerador y sacamos la leche y los

   sándwiches. Luego, _____ la puerta.

6. Primero, papá abre la puerta al balcón y va al balcón. Luego,

   _____ la puerta.

7. Primero, mamá abre la lavadora. Pone la ropa sucia en la lavadora. Luego,

   _____ la lavadora.

8. Tengo que colgar la ropa. Primero, abro el ropero. Luego, acabo de colgar la

   ropa y _____ el ropero.

UNIDAD 11

¿Cómo lo dices?   Nombre _____

B. What do Rolando and his family plan to do around the house this weekend?
Complete each question, using the correct form of **pensar**.

[M] P: Rolando, ¿qué _____**piensas**_____ hacer?

R: **Pienso lavar la ropa.**

1. P: Rolando y Pedro, ¿qué _____ hacer?

   R: _____

2. P: Sra. Ortiz, ¿qué _____ hacer usted?

   R: _____

3. P: Amalia y Lidia, ¿qué _____ hacer?

   R: _____

4. P: Rolando, ¿qué _____ hacer?

   R: _____

¿Cómo lo dices?   Nombre _____

C. Imagine that a reporter is curious about how young people spend their time. How do you answer her questions about your plans for the weekend? Answer the questions in your own words.

[M] ¿Piensas estudiar el sábado?

   No, no pienso estudiar el sábado.
   _____

1. ¿Piensas mirar los programas de televisión?

   _____

2. ¿Tu familia y tú piensan practicar los deportes?

   _____

3. ¿Piensas limpiar tu dormitorio?

   _____

4. ¿Tus amigos y tú piensan ir al cine?

   _____

5. ¿Piensas lavar y planchar tu ropa?

   _____

6. ¿Tu familia y tú piensan comprar ropa en las tiendas?

   _____

7. ¿Tu familia piensa almorzar fuera de la casa?

   _____

8. ¿Tus amigos y tú piensan estudiar el domingo?

   _____

UNIDAD 11

D.   Isabel is telling you what she and her family do on Saturday mornings. Complete the sentences using the correct form of the words in parentheses.

M   Mis hermanos siempre _____**se levantan**_____ muy tarde.
   (levantarse)

1.   Mi hermanita _____ temprano y _____
            (levantarse)   (bañarse)
   una hora en el cuarto de baño.

2.   Luego, mi hermanita _____ en mi dormitorio.
                  (peinarse)

3.   Mis otras hermanas y yo nunca _____ temprano.
                        (levantarse)

4.   Mis hermanos nunca _____ los sábados, pero sí
                  (bañarse)

   _____ los dientes.
      (cepillarse)

5.   Mis hermanas y yo _____ y _____ .
               (bañarse)   (secarse)

6.   Nosotras siempre _____ los sábados, pero mis hermanos
                  (peinarse)

   nunca _____ los sábados. ¡Qué muchachitos!
         (peinarse)

¿Cómo lo dices?   Nombre _____

E. Héctor is reviewing his notes on his interviews with classmates. Now he has to write sentences about their daily habits. Help him out by writing compete sentences using the words given.

M Rosa, María / cepillarse / dientes / todos los días

   Rosa y María se cepillan los dientes todos los días.

1. Eduardo / lavarse / manos / antes de comer

   _____

2. Ana, Rafael, yo / peinarse / por la mañana

   _____

3. Panchito / bañarse / por la noche

   _____

4. Ramón, Tomás / cepillarse / dientes / después de comer

   _____

5. Cristina, Rosalba / bañarse / por la mañana

   _____

6. Miguel, yo / bañarse / por la noche

   _____

UNIDAD 11

F. Choose a partner and compare your daily routines. First, take notes on your interview. Then, write your findings in complete sentences. Read Cecilia's sentences.

Cecilia: Adela se baña por la mañana. Yo me baño por la noche. Ella se cepilla los dientes por la mañana y por la noche. Yo me cepillo los dientes por la mañana, por la tarde y por la noche. Ella y yo nos peinamos por la mañana.

Por la mañana	Por la tarde	Por la noche
_____	_____	_____
_____	_____	_____
_____	_____	_____
_____	_____	_____

_____

_____

_____

_____

_____

¿Cómo lo dices?   Nombre _____

G. Elisa is upset. For some strange reason, she always wakes up at 7 o'clock on Saturdays. Elisa is trying to find out if her friends wake up early, too. Complete the question, using the right form of **despertarse**. Then, answer the question according to the happy or sad face.

M Juan, ¿ ___**te despiertas**___ a las siete los sábados?

☹   **No, no me despierto a las siete.** _____

1. Iris y Chela, ¿ _____ a las siete los sábados?

☹ _____

2. Samuel y Marcos, ¿ _____ a las siete los sábados?

☺ _____

3. Mariela, ¿ _____ a las siete los sábados?

☹ _____

4. Sra. Ramos, ¿sus hijos _____ a las siete los sábados?

☹ _____

5. Sr. Domínguez, ¿usted _____ a las siete los sábados?

☺ _____

6. Lola y Diana, ¿ _____ a las siete los sábados?

☹ _____

UNIDAD 11

H. Elisa's friend, Arturo, has a different problem. His parents want him to go to bed early. He took a survey of his friends and made a chart of their bedtimes. How does Arturo answer your questions?

Nombre	de lunes a viernes	sábado	domingo
Gloria	9:30	11:00	9:00
Carlos	10:00	11:30	10:00
Hugo	9:30	11:30	10:00
Alicia	10:00	11:00	10:30
Yo	9:00	11:00	9:00

M ¿Quiénes se acuestan a las diez los lunes?

Carlos y Alicia se acuestan a las diez.

_____

1. ¿Quiénes se acuestan a las once los sábados?

_____

2. ¿Quiénes se acuestan a las nueve y media los miércoles?

_____

3. ¿Quién se acuesta a las diez y media los domingos?

_____

4. ¿Quiénes se acuestan a las nueve los domingos?

_____

5. ¿Quiénes se acuestan a las once y media los sábados?

_____

6. ¿A qué hora te acuestas de lunes a viernes?

_____

UNIDAD 11

I.   A reporter has selected you to represent your classmates in an interview. You must answer on behalf of yourself and your classmates.

M   ¿A qué hora se van de la escuela cada día?

Nos vamos a las tres y cuarto.
_____

1.   ¿A qué hora se despiertan los lunes?

_____

2.   ¿A qué hora se ponen la ropa para ir al gimnasio?

_____

3.   ¿A qué hora se van de sus casas por la mañana?

_____

4.   ¿A qué hora se acuestan los fines de semana?

_____

J.   Now answer the same questions only for yourself.

1.   _____

2.   _____

3.   _____

4.   _____

UNIDAD 11

K. Imagine that you can interview the person whom you admire most in the world. Prepare a questionnaire to find out about his or her daily routine. Write at least five questions. Read Ricardo's questions.

Ricardo: **1.** ¿A qué hora se despierta usted todos los días?

2. ¿A qué hora se va de su casa por las mañanas?

3. ¿A qué hora vuelve usted a su casa?

4. ¿Se acuesta usted tarde o temprano?

5. ¿Se pone camisetas los fines de semana?

Nombre: _____

_____

_____

_____

_____

_____

_____

Vamos a leer   Nombre _____

Advertisements in Spanish often look similar to advertisements in English. Frequently the messages are the same. You can understand many advertisements in Spanish, even if you do not know all the words. Look at the advertisements below. Then write a summary in English of what each one is trying to say.

PARA UNA SONRISA BRILLANTE
ME CEPILLO LOS DIENTES CON

¡BRILLANTEZ!

Ahora con sabor de menta
Más dentistas recomiendan

¡BRILLANTEZ!

*Por la mañana o por la noche,
puedes tomar **Café Calmado**,
el mejor café sin cafeína.
Si tomas **Café Calmado**
después de la cena,
te acuestas más tarde sin problema.*

_____

_____

_____

_____

_____

Nombre _____

◤◢◤◢ EXPRESA TUS IDEAS ▱▶

The members of the Explorers' Club are on a camping trip in the wilderness. How well are they doing? Write at least six sentences about the picture.

_____

_____

_____

_____

_____

_____

_____

_____

Nombre _____

La Página de diversiones

La familia Chiflada

The Chiflada family is not your average family. What are the family members doing? Describe eight activities in the picture.

¡Hablemos!   Nombre _____

A. Leonardo wrote matching sentences on note cards, but he dropped them on the way to school. Help him match the sentences. Draw a line from column **A** to the right sentence in column **B**.

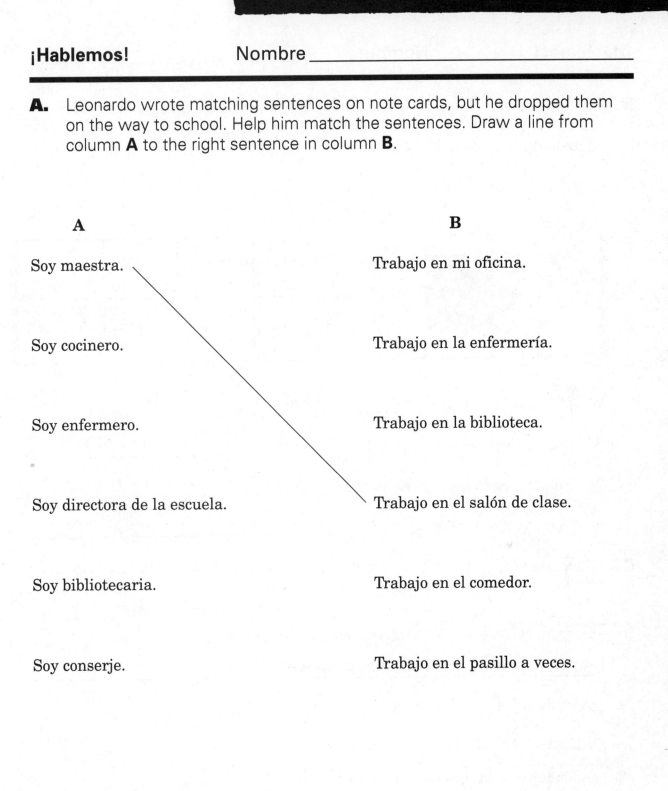

A	B
Soy maestra.	Trabajo en mi oficina.
Soy cocinero.	Trabajo en la enfermería.
Soy enfermero.	Trabajo en la biblioteca.
Soy directora de la escuela.	Trabajo en el salón de clase.
Soy bibliotecaria.	Trabajo en el comedor.
Soy conserje.	Trabajo en el pasillo a veces.

UNIDAD 12

B. Francisca gets a lot of exercise during the day. She made a diagram of her school and wrote the times she has to be in each place. Answer the questions according to the picture.

	9:30 12:30 1:45	8:00	3:00	
11:00				
la enfermería	el salón de clase	la entrada	la salida	
el comedor	el auditorio	la biblioteca	la oficina	la fuente de agua
11:30	8:30	10:30	2:45	1:30

M   ¿Adónde voy a las ocho? **Vas a la entrada.** _____

1.   ¿Adónde voy a las ocho y media? _____

2.   ¿Adónde voy a las nueve y media? _____

3.   ¿Adónde voy a las diez y media? _____

C. Now answer Francisca's question and also tell her if she goes up or down the stairs. Use **bajas** or **subes**.

M   Estoy en el comedor. ¿Adónde voy a las doce y media?

   Subes las escaleras y vas al salón de clase. _____

1.   ¿Adónde voy a la una y media?

_____

2.   ¿Adónde voy a las dos menos quince?

_____

3.   ¿Adónde voy a las tres menos quince?

_____

UNIDAD 12

A. Leonor is interviewing the Flores family to find out what they know how to do. Complete the question, using the correct form of **saber**. Then answer the question.

M P: Marta, ¿ _____*sabes*_____ usar la computadora?

R: __*Sí, sé usar la computadora.*_____

1. P: Marta, ¿tu papá _____ caminar muy lejos?

   R: _____

2. P: Claudio, ¿ _____ nadar muy bien?

   R: _____

3. P: Sra. Flores, ¿ _____ usted escribir cartas en español?

   R: _____

4. P: Simón, ¿ _____ leer en español?

   R: _____

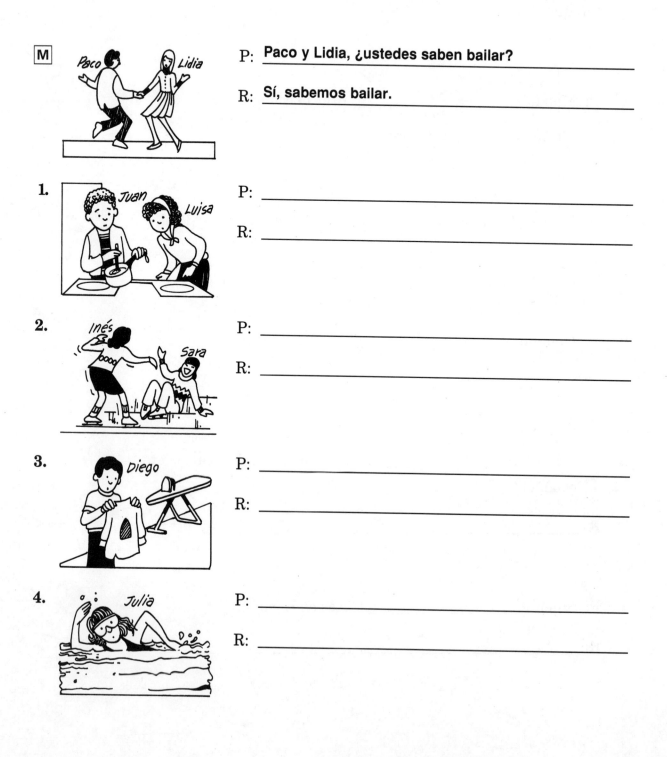

UNIDAD 12

B. What questions will you ask the people in the pictures? How will they answer? Write a question about the picture. Then answer the question.

M   Paco   Lidia

P: **Paco y Lidia, ¿ustedes saben bailar?** _____

R: **Sí, sabemos bailar.** _____

1.   Juan   Luisa

P: _____

R: _____

2.   Inés   Sara

P: _____

R: _____

3.   Diego

P: _____

R: _____

4.   Julia

P: _____

R: _____

UNIDAD 12

C.   It's Saturday. Is someone or no one in each place you look? Answer the
question according to the picture.

M 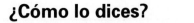   ¿Hay alguien en la enfermería?

No, nadie está en la enfermería.
_____

1.    ¿Hay alguien en el comedor?

_____

2.   ¿Hay alguien en la biblioteca?

_____

3.    ¿Hay alguien en el pasillo?

_____

4.   ¿Hay alguien en el auditorio?

_____

UNIDAD 12

D.   How observant are you? Do you see something or do you see nothing?
      Write a sentence about the picture, using **algo** or **nada**.

M

Nada está en

el tocador.

1. _____

2. _____

3. _____

4. _____

5. _____

E.   What do you always do? What do you never do? Write three sentences
      with **siempre** and three sentences with **nunca**.

M Siempre leo muchos libros en la biblioteca.
   Nunca corro por el pasillo de la escuela.

1. _____

2. _____

3. _____

4. _____

5. _____

6. _____

UNIDAD 12

Nombre _____

F.   Jorge is telling you about the people at his school. Help him finish his descriptions by using **el más...** or **la más....**

M   El conserje es simpático. El enfermero es más simpático que el conserje.

El director es _**el más simpático.**_____

1.   La cocinera es fuerte. La enfermera es más fuerte que la cocinera.

La maestra es _____

2.   Silvia es cómica. Julio es más cómico que Silvia.

Graciela es _____

3.   Hugo es tímido. Lucía es más tímida que Hugo.

Vicente es _____

4.   El Sr. Uribe es inteligente. El Sr. Arango es más inteligente que el Sr. Uribe.

El Sr. Correa es _____

5.   La Srta. Mejía es generosa. La Sra. Torres es más generosa que la Srta. Mejía.

La Srta. Vallejo es _____

¿Cómo lo dices?   Nombre _____

G. Your best friend Bárbara wrote a story about a school on the planet Milco. She even drew illustrations! Help her describe her characters. Write two sentences about the picture.

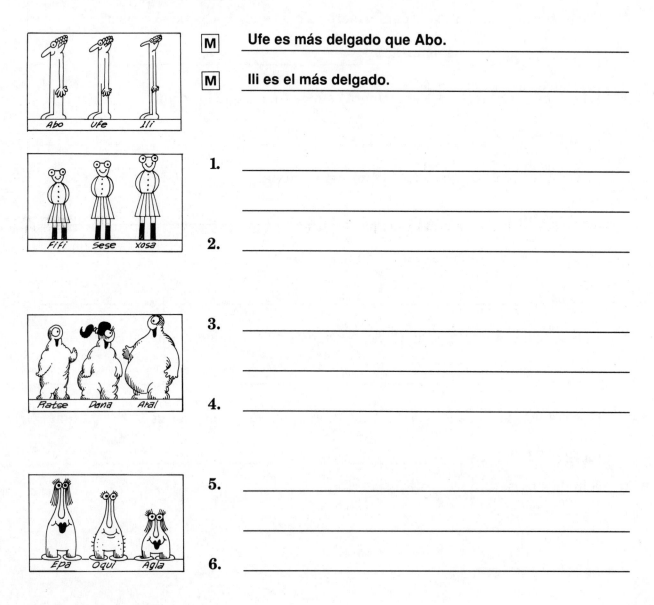

M   **Ufe es más delgado que Abo.** _____

M   **Ili es el más delgado.** _____

1. _____

_____

2. _____

3. _____

_____

4. _____

5. _____

_____

6. _____

¿Cómo lo dices?   Nombre _____

H. Patricio is curious about your school and your classes. How do you answer his questions?

[M] ¿Quién es el maestro más alto?

El Sr. Rodríguez es el más alto.
_____

1. ¿Quién es el conserje más fuerte?

_____

2. ¿Cuál es el cuarto más grande, el gimnasio, el comedor o el auditorio?

_____

3. ¿Cuál es el cuarto más pequeño, la enfermería, tu salón de clase o la biblioteca?

_____

4. ¿Quién es la maestra más baja?

_____

5. ¿Cuál es la clase más divertida?

_____

6. ¿Cuál es la clase más difícil?

_____

7. ¿Cuál es la clase más fácil?

_____

8. ¿Cuál es la clase más aburrida?

_____

¿Cómo lo dices?   Nombre _____

I. Write a letter to a friend. Write at least two sentences about places in your school, two about people in your school, and two about your classes. Use **más…que, el más…,** or **la más….**

_____

   _____

_____

_____

_____

_____

_____

_____

_____

               _____

               _____

¿Cómo lo dices?   Nombre _____

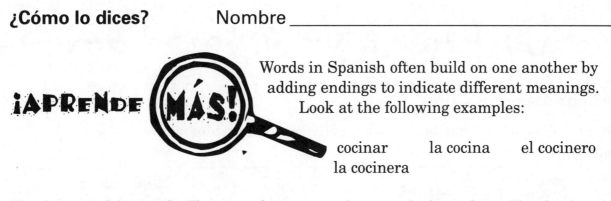

¡APRENDE MÁS!

Words in Spanish often build on one another by adding endings to indicate different meanings. Look at the following examples:

cocinar   la cocina   el cocinero
la cocinera

The first word is a verb. The second is a noun that stands for a place. The third and fourth are nouns that stand for people. All four words are related in meaning.

Sometimes you can guess the meaning of a word because part of it is spelled like a word you already know. Study the following words. Then write the verb you know that is related to those words. On the line below the words, write what you guess their meanings to be. The first one has been done for you.

1. _____**bailar**_____   el bailadero   el bailador   la bailadora

   to dance / dance floor or place to dance / dancer / dancer _____

2. _____   el escritorio   el escritor   la escritora

   _____

3. _____   el patinadero   el patinador   la patinadora

   _____

4. _____   la pintura   el pintor   la pintora

   _____

5. _____   la caminata   el caminante   la caminante

   _____

Nombre _____

La Página de diversiones

El cuaderno perdido

Horacio has lost his notebook. Follow the maze to help him recover the lost notebook.

¿Con quién habla Horacio? ¿Adónde va? Escribe las palabras en orden.

1. _____   4. _____

2. _____   5. _____

3. _____   6. _____

¿Quién sabe dónde está el cuaderno?

_____